犬と私の10の約束

川口晴

文藝春秋

1 私と気長につきあってください。

2 私を信じてください。それだけで私は幸せです。

3 私にも心があることを忘れないでください。

4 言うことをきかないときは理由があります。

5 私にたくさん話しかけてください。
人のことばは話せないけど、わかっています。

6 私をたたかないで。本気になったら
私の方が強いことを忘れないで。

7 私が年を取っても仲良くしてください。

8 私は十年くらいしか生きられません。
だからできるだけ私と一緒にいてください。

9 あなたには学校もあるし友だちもいます。
でも私にはあなたしかいません。

10 私が死ぬとき、お願いです、そばにいてください。
どうか覚えていてください、
私がずっとあなたを愛していたことを。

犬と私の10の約束

第1章

私は泣くということができない。

物心ついた頃から、泣きそうになって顔を歪《ゆが》めると、決まって母が、「その顔大好き。なんでそんなにかわいいのー」と私を抱きしめた。かわいいと言われれば悪い気はしない。そのうち、涙も引っ込んでしまう。たぶん、そのせいで私は泣けない子に育ってしまった。二十二歳になるこの間まで、私は一度も泣いたことがなかった。

私の母は変わっている。

畳んだ洗濯物を引き出しにしまおうとしていて入らず、「不思議ねー。洗濯したら殖《ふ》えたのかな?」とよく笑う。スリッパとモップを合体させたモッパという商品をはいて、スケートするような動きで床掃除をする。食材を買いすぎ、しょっちゅう野菜をダメにして、干《ひ》からびたニンジンや溶けかけたセロリを、「ごめんねー」とお詫《わ》びしながら捨てる。腐《くさ》ったピーマンを手にして、「庭に植えたらなるかしら」と真顔《まがお》で言ったこともある。料理を大失敗すると、食べることも捨てることもできずに、冷凍庫に入れる癖《くせ》がある。電子レンジで紅茶を温めたのに忘れてしまい、あとから私が電子レンジを開けると、母の白いマグがぽつんと取り残されていることがよくある。「今日もまた忘れてたよ」と言うと、母は、「おかしいわねー。電子レンジに入れるとなんで忘れちゃうんだろう」と不思議がり、「何か忘れたいことがあったら、電子レンジに入れるといいかもね」と、変な開き直り方をして笑う。左右の違う靴下をはいていたことさえある。

私の二十二年の人生で、そういう女の人を母以外にまだ見たことがない。情けない話だけれど、母以外、私をかわいいと言ってくれた人もまだいない。

そんな母なのに、父と結婚して、私がおなかにいることがわかる二十五歳まで看護師をしていた。信じられないのだけれど、アルバムをめくるとその頃の、ナースキャップをつけて爆笑している母の写真が残っている。すこし上を向いた小さな鼻、目尻がやや垂れた大きな目、どちらかといえば犬顔だ。つり眼で猫顔の私とは全然似ていない。真面目《まじめ》にしていれば、母はある種の美人なのだけれども、笑うと口が大きく見え、クシャッとした顔になる。母の写真は、子どもの頃から一枚の例外もなく笑っているので、美人だったという証拠はもう残っていない。

函館《はこだて》の総合病院に勤めていた医者の父は、変わり者の母が看護師をしていること自体が心配で、よく母の仕事をそばで見ていたそうだ。その視線をたびたび感じ、好意をもたれているのだと勘違《かんちが》いした母が、ロックのコンサートに父を誘って、恋愛に発展したらしい。その後、父と母は結婚し、私が生まれた。仕事の忙しい父はほとんど家にいないので、一週間に一度顔を見るくらいだったけれども、母はいつも私のそばにいた。ずっとそうだと、子どもの頃の私は疑いもしなかったのだけれど……。

＊＊＊

母はいつも同じ香水をつけていた。おだやかでやさしい香りなのだけど、それは適量をつけた場合の話で、母はいつもつけ過ぎだった。シュッシュッシュッと四プッシュか五プッシュも噴《ふ》きつける。ときどき強烈《きょうれつ》すぎて、食卓の味噌《みそ》汁やカレーの匂《にお》いと混ざって鼻がビックリしたものだ。

私は母と買い物をするのが好きだったので、小学校からの帰り道、母がいそうな場所をよく覗《のぞ》いた。近所のコンビニ、パン屋のイートインコーナー、CDショップ。母は平気で二時間くらいそこにいる。母を見つけ、そっと近づいて横に立つと、「あ」とうれしそうに笑うのは一瞬で、すぐ手に取っている雑誌やCDに関心が戻ってしまう。母のそういうリアクションには慣れているので、私も並んで立ち読みするか、離れたところで別のものを見ている。しばらくすると母が近づいてきて、「出ようよ」と言う。基本的に勝手な人なのだ。それから一緒にあちこち買い物をして家に帰る。

母はいないのに、匂いだけが残っていることもある。コンビニに寄ったとき、雑誌売り場のあたりに母の香水の匂いが漂《ただよ》っていて、さっきまで立ち読みしてたなとわかった。匂いの強さから、まだ近くにいるはずと推測し、すぐに店を出て母を探した。通りには人影もなく、がらんとして風が吹いている。姿は見えないけれど、その風には母の匂いが混じっていた。風上《かざかみ》にいるに違いないと、向かい風を顔に受けながら走って坂をのぼりきったとき、目に入った後ろ姿に呼びかけた。

「おかあさん！」

振り返ったのはやっぱり母で、私を見てクシャッと笑った。

「後ろからでよくわかったね」

「匂いでわかるよ。風に乗って流れてくるから、遠くにいてもわかる」

「あかりは鼻が利《き》いて、犬みたいだね」

香水つけ過ぎなんだよと思うけど、そうは言わない。

「おかあさんは風みたいだね」

「風？　そう？　照れるな」と母はよろこんでいる。

家に帰る前、母とよく防波堤《ぼうはてい》に並んで腰かけ、海を見た。坂道の多い函館《はこだて》の街を一緒に歩いて、商店街から海沿いの道に出たとき、夕陽がきれいだと、「沈むまで見てようよ」といつも母は言う。海全体が浮かべていた薔薇《ばら》色の光が、だんだん一本の長い藤色の線になって波に揺《ゆ》れる。ちょっとおしゃべりをしていると、すぐにその線は消え、私たちのまわりはブロンズ色の光に包まれていく。小学校

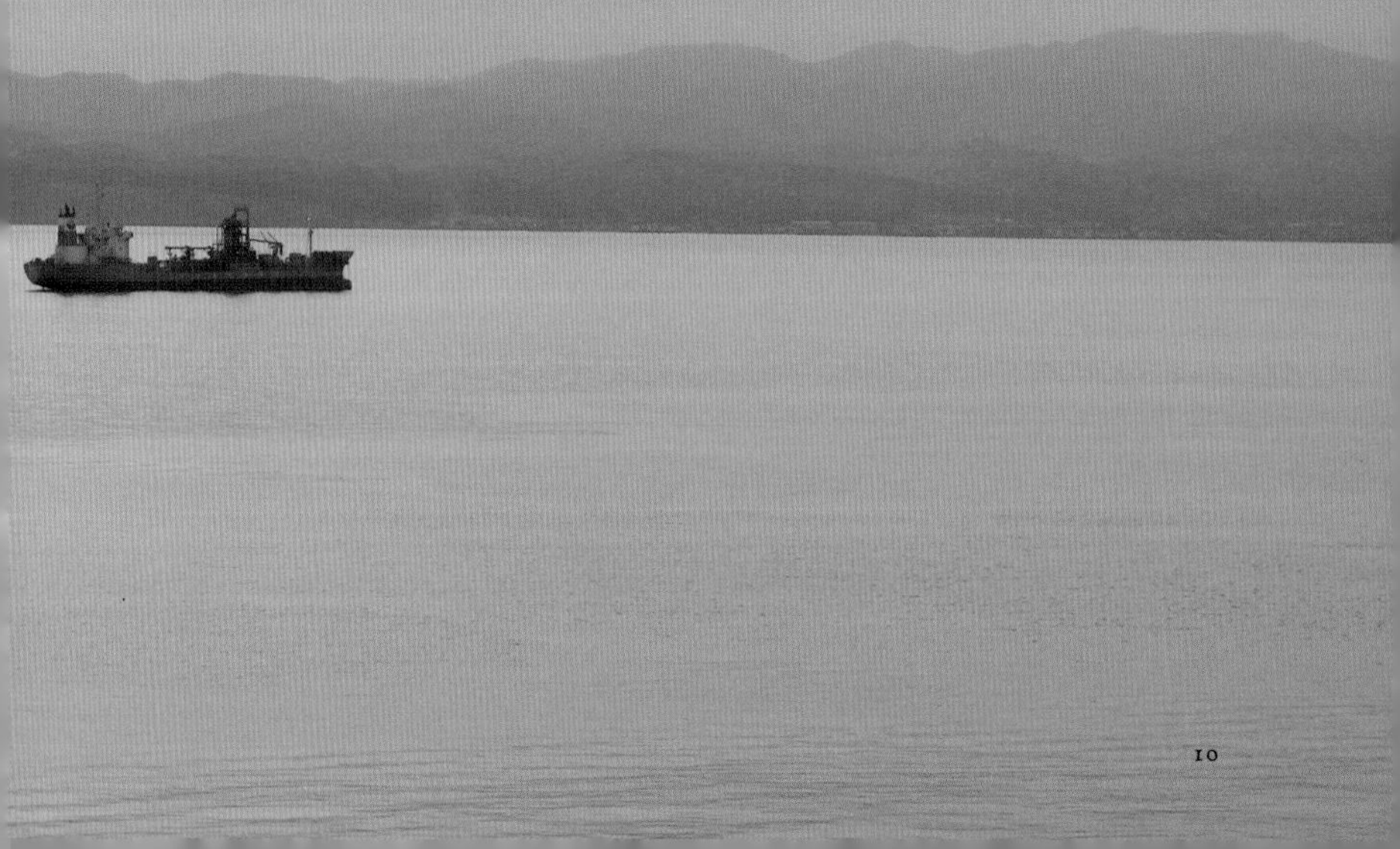

五年から六年にかけて、何度となく、母と二人、防波堤で沈んでゆく太陽を見た。

私が犬という生き物にはじめて触《ふ》れたのも、そんな夕方だった。

その日、私は防波堤《ぼうはてい》から砂浜に駆《か》け降り、風に舞い上がって耳あてのついた帽子のような形になって、ふわふわと飛んでゆくコンビニの袋を追いかけていた。母がコンビニで買ったアイスクリームを取り出したとき、風にあおられて袋が飛ばされ、私はそれを追いかけているのだけれど、母は防波堤に腰かけ、アイスを食べながらそんな私を見て笑っているのだった。

意外に遠くまで飛んだビニール袋に追いつき、ジャンプしてつかまえたとき、何かが走って来る気配《けはい》を感じた。逆光でよく見えないその何かは、私の足元まで駆け寄って来て止まった。何？　私が見下ろすと、それは黒い子犬で、その子も私を見ている。くりくりした黒い瞳。前世以来の再会だとでもいうように、その子犬は私をじっと見つめる。私はドキドキしながら思わずしゃがんで、子犬の頭をなでた。子犬はぶんぶんとシッポを振り、もっとなでてとばかりに小さな頭を私の掌《てのひら》にグイグイと押しつけてくる。その間も、目はじっと私を見つめている。私の中に何かが流れ込んでくる。この子を連れて帰りたい！　と思わず抱き上げると、私の腕の中で子犬は安心したように丸まった。

「つかまえてくれて、ありがとう」

声の方を振り返ると、セーラー服の女の人が私の横にいた。

「ダイスケが人になつくの、はじめて見た」

女の人が両手をさしのべるようにすると、それに反応して子犬は私の腕をすりぬけて、ピョンと彼女の胸に飛び込んだ。私は放心してしまって、ただそこに立ちつくしていた。彼女は子犬の前足を持ち、「バイバイ」と振った。私も「バイバイ」とつぶやき、遠ざかってゆく子犬を、姿が見えなくなるまで見つめていた。

「行こうか」

いつのまにか横に来ていた母に肩を叩《たた》かれた。

「見た？　今の犬見た？」

私は興奮《こうふん》していた。

「見てたよ。あかりは犬、怖《こわ》くないんだね」

「かわいい……」

私を見つめていた黒い瞳。腕の中にいた温かみと重み。それから私は街や海辺で犬を見かけると、じっと見つめてしまうようになった。

「誕生日のプレゼントは何がいい？」と母に聞かれたとき、すぐに「犬！」と答えた。忘れもしない十二歳の誕生日。「犬かぁ」と母はあいまいな返事をした。でも、誕生日になれば、母はニコニコしながらリボンをつけた子犬を私にプレゼントしてくれると期待していた。それなのに、誕生日の夜、母がくれたものはリボンをかけた箱だった。

「あれ？　犬じゃないの？」

中から出てきたのはケロケロケロッピの目覚まし時計……。あからさまにガッカリする私を見て、母は言い訳した。

「ごめんね。犬を飼うのはたいへんだから」

「たいへんでもなんでも平気だよ」

「でも、あかりは学校があるでしょ？」

「おかあさんは飼いたくないの？」

「私にはあかりがいるからね」

「……どうして犬を飼ったらダメなの？」

「おとうさんが犬、好きじゃないのよ」

「え？」

知らなかった。でも、おとうさんは忙しくて、ほとんど家にいないじゃないか。このないだ会ったのは二週間近く前の日曜日で、疲れた疲れたと言って一日中寝ていた。

しかも、娘の誕生日にさえ帰ってこない。そんな父に犬を飼う飼わないを決められたくない。だんだんムカついてきて、私は母を困らせるような質問をする。

「おとうさんは？　今日もいないの？」

「遅くなるって」

「私より患者が大事なんだよね」

「まあ、まあ」と母は私をなだめながら、冷蔵庫からケーキを出してきた。

「お誕生日おめでとう」

ホイップクリームの上にキウイやリンゴや桜桃《おうとう》、色とりどりの果物がゼリーにくるまれて並んでいる。私の機嫌《きげん》はすこし直る。

「おいしそうだね」

「ケーキ屋さんを三軒ぜんぶ見て、すごーく迷ったの。でも、これがいちばんきれいだった」

「うん。きれい」

「よかった。あかりが気に入って。半分こにしようか」

母がナイフを入れようとする。あれ？

「ろうそくは？」

誕生日だから、当然の質問。

「あ」と母があわてた。

「忘れた」

私はすねるのを通り越して、あきれてしまった。

母もさすがにしまったと思ったらしく、困ったように黙り、そのうち笑いはじめた。

「ごめんねー。そうだよねー。誕生日といえばろうそくだよね。今からコンビニ行って買ってくるから。ちょっと待ってて」

「じゃあ、私も一緒に行く」

二人で海辺の道を歩いた。暗い夜の海に、白い波頭《はとう》が砕《くだ》けている。冷たい夜気《やき》の向こうに、蛍光灯《けいこうとう》のまぶしい光を閉じ込めたコンビニが見えてきた。

「コンビニってほんとに便利よねー」

コンビニ好きな母がコンビニをほめたたえ、ふと鼻歌を口ずさみはじめる。英語の歌なので、「マドンナ?」と聞いた。母の鼻歌はたいていマドンナで、歌いながらよく踊りはじめるので、そのときしている作業が中断してしまう。

「ううん。シンディ・ローパー」

「シンディ・ローパー?」

知らない名前だった。

「どういう歌詞なの？」

「もし、あなたが道に迷ったり、大切なものを失《な》くしたら、まわりを探して。きっと私がいるから――そんな意味」

「ふーん」

「本当は失恋の歌でね、別れた人に向かってそう言ってるんだけど、逆の立場に立ってみたら、誰かがいつも見守ってくれてるってことじゃない？　深い穴に落ちそうになっていたら、私があなたをキャッチするって歌ってるんだよね」

でも、そんなふうに私を見守ってくれる存在が現れるとはあまり想像できなかった。母は抜けているからよそ見していそうだし、父は仕事が忙しすぎる。

コンビニのドアを開けると、いつもの派手《はで》なバンダナをしたおじいちゃん店長が私たちにウインクをした。はじめのうちは会釈《えしやく》だけだったのが、近頃では毎日立ち寄るせいか、ウインクまでされるようになった。おじいちゃん店長は立派な顔立ちをしていて(サブリ・シンという俳優に似ていると母は言っていた)、ウインクをしても不思議と浮かない。私と母は二種類しかないろうそくのどっちを買おうか何分も迷って、結局細い方を買った。

家に帰って、小さなケーキに十二本のろうそくを立てた。電気を消し、私は深く息を吸って、一気に吹き消した。

父は結局、私が寝る時間になっても帰って来なかった。

夜中に目が覚めて水を飲みに一階に下りたとき、父の声が聞こえた。私は台所のシンクにもたれて水を飲みながら、両親の話を立ち聞きした。

「あかりはもう寝た？」

「あなたにろうそく頼まなきゃよかった」

「手術が思っていたより手間取ってね。気がついたらこの時間になってた。ろうそくはちゃんと昼のうちに買っておいたんだけどね」

母は父をかばっていたんだ。

「あかり、怒ってた？」と父の声。

「ろうそくは二人でコンビニに買いに行ったから、大丈夫」

「そうか……」

「でも、もうすこしあかりと一緒にいる時間はつくれないの？」

「君に任《まか》せっぱなしで申し訳ないと思ってるよ」

「責めてるわけじゃないんだけど」

「医者としては、今が大事なときなんだよ」

「……あかりが、犬飼いたいって」

「え？　俺のかわりに犬？」

「あはは。そうそう」

父のかわり？　まさか。

「ね、せっかく買ってきてくれたことだし、このろうそくに火をつけようよ」と母が言った。

「俺たちで消すのか？」

「そう。あかりと一緒のつもりでもう一回」

「おい、メロンに立ててるのかよ」

「そう。立てばいいのよ」

「芙美《ふみ》ちゃんは相変わらずだなあ」

リビングルームの電気が消えた。マッチの炎、そしてろうそくの光がキッチンにも届いて、ならべてあるコップが暗いオレンジ色にきらめく。私はそっと二階に上がり、ベッドにもぐりこんだ。「目が覚めちゃった」と言って両親のいる部屋に顔を出しておしゃべりをしたい気持ちと、娘の誕生日にも帰ってこない父親へのいじわるな感情とが闘《たたか》っているうちに、私は眠ってしまった。

朝起きたら、父はもういなかった。

「ごめんね、こないだお魚焼いたフライパンで焼いたから、すこし生臭《なまぐさ》いね」

と言いながら、母はホットケーキを食卓にならべた。かいでみると、確かに魚の匂《にお》いがする。

「ホットプレートで焼けばよかった」

母がめずらしく後悔している。

「でも、こないだホットプレートで羊の肉を焼いたよね」

「羊の匂いと魚の匂いのホットケーキだったらどっちがいい？」

「……あのね、おかあさん」

「はいはい。普通のホットケーキがいいよね。でもホットケーキの匂いのするお魚は、ちょっとおいしそうだと思わない？」

母の話を聞き流していて、ふとキッチンテーブルの上にメロンの種がならべてあるのに気がついた。

「おかあさん、この種、メロンだよね？」

「そうだよ」

答えを予想しながら、聞いてみる。

「種、どうするの？」

「植えてみようと思って」と母。

やっぱり。

「お庭にメロンがなったらいいと思わない？」

つい、つられて私も想像してしまう。メロンの蔓《つる》が庭をおおって、そのいたるところに丸い実がなっている。海から風が吹いてくると、我が家のリビングルームはメロンの甘い匂いでいっぱいになるのだ。


中学生になって間もない日の放課後、教室から出ると、明るい西日に満たされた廊下にギターの音色《ねいろ》が響いていた。きれいなメロディに惹《ひ》かれて、音の方に向かって歩いた。その音は、音楽室のすこし開いたドアから聞こえてきていた。そっと覗《のぞ》くと、隣のクラスの男の子がひとりでギターを弾《ひ》いている。彼の指が弦《げん》から離れると音の流れがふと止まり、同時に彼は私の視線に気づいて、こっちを見た。

「こんにちは」

私が挨拶《あいさつ》をすると、彼もギターを抱《かか》えたまま頭をペコリとさげ、「こんにちは」と言った。これが、星進《すすむ》くんとの最初の会話だった。

「星くんでしょう?」

「うん。斉藤さん、だよね?」

「うん」

「いつから見てたの」

「さっきから。今のは何て曲?」

「パッヘルベルのカノン」

「いい曲だね」

「もっと聴きたい?」

「うん」

星くんは張り切って、ギターをかまえ直す。きちんと分けた髪、やさしげな切れ長の目、通った鼻筋。ふだんはおっとりした顔が、うつむくと端整《たんせい》に見える。細い指、まるく削《けず》られた爪《つめ》が弦《げん》に触れると、指先から音楽が流れ出した。

そのあと一緒に帰りながら、星くんの両親がギタリストで、家はギター教室を経営していることを知った。星くん自身は、有名なギタリストについて英才教育を受けているらしい。『星ギター教室』は、母とよく行くコンビニの隣の隣にあって、うちから歩いて十分もかからない。私は、母の天然なエピソードをあれこれ話し、星くんはクスクス笑いながら、母に会いたがった。

「星くん、歌は歌わないの？」

「僕のはクラシックギターだからね」

「ふうん。歌いたくならない？」

「全然」と微笑《ほほえ》む星くん。思いもよらないらしい。

「今度歌ってよ」

「ダメだよ。歌なんて歌ったらギターに集中できなくなるし、それに禁止されてるからね」

「誰に？」

「おとうさんとおかあさん」

「ほんと星くんって素直だねー。歌うなって言われたら歌わないんだ」

へそまがりの私とはずいぶん違う。こんなに正直だったら「あっち向いてホイ」は

弱いだろうなと思って、ふと、

「あっち向いて、ホイ！」と、星くんの顔の前で上を指さした。

星くんはみごとに引っかかり、私の指と一緒に、雲が茜《あかね》色に輝く空を見た。悔《くや》しいらしく、私に同じことをするけれど、私は指と逆を見る。そのあとも毎回見事に私の勝ち。まるで自分の心が汚れているのではないかと反省したくなるほど、星くんは「あっち向いてホイ」が弱かった。

「星くんてば、絶望的に正直だねー」

と笑う私を、星くんはまるでほめられたかのような素直な顔で見ていた。


家の前まで一緒に来たので、星くんに母を会わせたくなった。

「ちょっとあがっていきなよ。いたら紹介するから」

星くんはやはり素直にうなずいた。家の中はほの暗く、シンとしている。昼寝したものの寝過ごして、まだ眠っているのかなと思い、星くんを待たせて二階を見に行くと、寝室にも母はいなかった。一階にも母の姿はなく、それなのにサッシ窓は開け放ったままで、庭の物干しに干されたままの洗濯物が、風に揺《ゆ》れている。

「うちのギターがここまで聞こえてくるね」

星くんは、私の不安をよそに、風に乗ってくるギターの音に耳を傾けている。

「おかあさん、どこ行ったんだろ……。おかあさん！」

庭に向かって呼んでみるけれど、返事はない。サンダルをはいて庭に降り、もう一度、「おかあさん」と小さな声で呼んでみたとき、「はい」と答えるかのようなタイミングで、植え込みから子犬が顔を出した。

「え⁉」

それはクリーム色の子犬で、クリクリした目で私を見上げていた。前足の片方だけ白い靴下をはいたみたいに真っ白だ。子犬というより、まだ赤ちゃん犬というのに近くて、足どりもおぼつかない感じ。黒い大きな瞳でじっと見つめられると、この子も前世で私と親しかったのかもしれないと思えてくる。かわいすぎる。

「どうしたの？」と星くんは心配そうに聞く。

私は子犬をビックリさせないように手振りで星くんに、「ほら、見て見て」と子犬を指さした。星くんの顔に微妙《びみょう》な反応がひろがる。

「あれ？　星くん、犬は嫌い？」

「指を噛《か》まれるから近づくなって、親に」

「噛まないよ。ねっ」と子犬に聞く。

「わんこ、こっちにおいで」

シッポを振りながら私の胸に飛び込んできてほしい。そっと近寄る私と子犬の距離が二メートルくらいに縮まると、子犬の顔にとまどいが浮かんだ。お願いだから逃げないでよ。そっとしゃがんで両手をひろげて歓迎の気持ちを表現してみる。星くんがクスッと笑うのが聞こえたけれど、私はなりふり構わず求愛する。子犬が前足をつっぱるようにして、すこし後ずさる。仲良くしたいという気持ちを、この子にどう伝えればいいんだろう？

そのとき部屋の中で電話が鳴った。

子犬は私にお尻を向け、隣の家と塀《へい》の間をよちよちと逃げてゆく。裏から先回りしようとサンダルを脱ぎ部屋に駆《か》け上がったとき、まだ鳴り続けている電話に星くんが「出ようか？」という顔をした。ずいぶん長く鳴っているので、気になって自分で受話器を取った。

「はい」

「あかり？」

「はい？」

「おとうさんだけど」

「おとうさん？　もう～、おとうさんのせいで子犬が逃げちゃったじゃない」

「子犬？　それよりあかり、おかあさんのことなんだけど」

「え？」

「おかあさんがな、今病院にいる」

「え⁉」

胸がどきどきする。病院？

「今日、家の前の道で倒れて、おとうさんの病院に救急車で運ばれたんだよ」

「嘘《うそ》……」

のんきな母と病気が結びつかない。

「心配いらないけど……何日か入院することになると思う」

「今からそっちに行く」

「おかあさんはもう眠ってるから、明日の方がいいよ」

「おとうさんは？」

「……もうすぐ帰る」

「じゃあ待ってる。早く帰ってきてね」

「わかった」

電話を切るなり、私はソファに座り込んでしまった。不安な気持ちにぎゅうぎゅうと押されて、胸が苦しい。ソファに母の匂《にお》いが残っている。いつも元気なのに、どうして？

「大丈夫？」

横から声が聞こえて、ビックリして振り向いたら、星くんが心配そうに私の顔を覗《のぞ》き込んでいた。星くんのことをすっかり忘れていた。

「どうかしたの？」

「おかあさんが、入院したって……」

声が詰《つ》まってしまった。

「そうなんだ……」

私の不安が増してしまうほど、星くんが心配そうな顔をするので、いらいらして、つい、「今日はもう帰って」と言ってしまった。

「うん。わかった」

星くんはギターケースを背負い玄関に向かいながら、「暗くなってたね」と照明のスイッチを指で押した。部屋が暖色の光に包まれた。

その夜、父はめずらしく約束通り帰ってきた。

「おかあさんの具合は？」

駆《か》け寄って聞くと、

「心配ないよ」

そう言いながらも父の目は泳いでいる。

「ほんと？」

「ああ」

また目が泳ぐ。不安になり、つい、

「あっち向いて、ホイ！」

と父の顔の前で、天井を指さしてみた。父は素直に私の指の先を見ている。

「何させるんだよ」

「おかあさん、大丈夫だよね」

「……明日、お見舞いに行きなさい」

「……うん」

父は何か隠している。そうとしか思えない。私はベッドに入ってもなかなか寝つけなかった。夜中に水を飲みに階段を下りると、ダイニングキッチンで父がテーブルに両肘《りょうひじ》をつき、頬《ほお》づえをつきながら缶ビールを飲んでいた。そうとう酔っているようで、こんな父を見たのははじめてだった。声もかけられなくて、そっと部屋に戻った。

朝起きて一階に下りると、父はもう出かけたあとだった。


病院に行くと、母は個室のベッドで半身を起こして、いつもと変わりない様子に見えた。ただ、さすがに香水はつけられないから、いつもの母の匂《にお》いがしない。

「あかり、ひとりでさびしいでしょ？」

「大丈夫だよ。おかあさんは？」

「平気。さびしかったら、寝室の私のベッドに寝てもいいよ」

「やだよ。隣がおとうさんのベッドじゃない」

「私がいないときに、よく昼寝してたくせに」

「バレてた？」

母はたまに鋭《するど》い。

「圧力鍋《なべ》ね、壊《こわ》れてるから使ったらダメよ」

「知ってるよ。めちゃくちゃ焦《こ》げてた」

「バレてた？」と母が笑った。

「電子レンジに、またマグ忘れてたよ」

「他に何か、変わったことはなかった？」

「そうそう！　庭に子犬がいたんだよ」

「庭に？」

「うん。でも、電話が鳴ったら逃げちゃったんだ」

「逃げちゃった？」

「捕《つか》まえられたら飼いたかったんだけどね」

「そう……」

一瞬、母の顔が曇って、急に話題を変えた。

「あかり、おうちのことで何かわからないことある？」

わからないことだらけだよ、と正直思うけど、それよりもふと不安になった。

「……おかあさん、いつ退院するの？」

「うーん、……桜の頃かな」

「え？　そんなにかかるの？」

「しばらく休んだ方がいいって、さっき担当の先生に言われた」

母が家からいなくなってしまうなんて、想像したことさえなかった。

母が入院してから、放課後の部活動や友だちの家で遊ぶのはやめて、毎日病院に通った。病室で母と二時間くらいおしゃべりをして、病院の夕食の時間が終わると家に帰る。母が寝ているときは、私もベッドにもぐりこんで、並んでしばらく眠った。目が覚めると二時間も経《た》ってしまっていたことがあって、そっと抜け出して帰ろうとす

ると、母が眠そうな目を半分開けた。

「今、何時？」

「七時だよ」

「もうそんな時間なんだ……」

「じゃあ、私はそろそろ帰るね」

「あと十分いて」

母は入院してからさびしがりやになった。

私がベッドの横に座っていると、母はまた気持ちよさそうに寝息をたてはじめた。

「うん。わかった」

もう、おかあさんが言うから帰らなかったのに、と寝顔に文句を言いながら、でも、しばらく母のそばにいてから病室を出た。


母が入院してから、星くんと一緒にいる時間が増えた。放課後、病院に向かう道すがら、ギターケースを背負った星くんと「あっち向いてホイ」をする。星くんは毎度立ち止まって、素直に負ける。そのまま一緒に浜辺やコンビニやCDショップに短時間の寄り道をして、星くんはギターの練習に、私は母のお見舞いに向かう日が続いた。

防波堤《ぼうはてい》に星くんと並んで座っているとき、リクエストしたことがある。

「ここでギター弾《ひ》いてよ」

「海風があたるところだと、ギターが傷《いた》むからダメだよ」

「そうなの？　ケチ。この町はどこだって海風が吹いてるじゃない」

星くんは困っている。私はわがままな気持ちをまる出しにして、不満そうに言う。

「じゃあいいや」

「……親に秘密ならいいかなぁ」

「ほんとに？」

「うん」

星くんは大切なものを取り扱ういつもの手つきで、ギターを取り出し、抱《かか》えた。

「曲は何がいい？」

「音楽室で弾いてたやつがいいな」

「パッヘルベルのカノンだよね」

「だっけ」

星くんが弾きはじめる。

「うん。それそれ」

胸にしみるメロディ。午後の陽差《ひざ》しにきらめく波も砂浜で遊ぶ犬たちも、ギターの音に合わせて動いているように見えた。

「星くんはギタリストまっしぐらで、うらやましいな」

星くんが弾《ひ》く手を止めて、私を見た。

「うらやましい？　どうして？」

「弾きながら話せないの？」

星くんは首を振った。

「弾くか話すか、どっちかだけだよ」

私は笑い、素直な星くんらしいなあと思って笑った。弾き語りは、禁止されていなくても、彼には無理そうだ。星くんがまた聞いた。

「なんでうらやましいの？」

「私は何になったらいいのか、全然わからないから」

「でも、不安だよ。ギター一筋で普通の高校には行かなかったとするよね。そのあと才能が足りないと気がついても、もうやり直せないじゃない？」

「そういうもんかなぁ」

「僕の両親もね、ギタリストなんだけど、本当は大きな会場でコンサートをしたり、

ＣＤを出すようなギタリストになりたかったんだって。でも、今はギター教室で教えるだけだから、自分たちは成功できなかったと思ってるんだよね。だから、僕への期待が大きくて……」

星くんはすこしうつむきながら、独り言《ひとごと》のように言った。素直な星くんでも悩みはあるのだとはじめて知った。歌うことは禁止されているし、指に負担のかかるスポーツも星くんはしない。学校に行く前にも終わってからもギターの練習で、普通の勉強をする時間はなく、確かに、期待にこたえられなかったらどうなるんだろう、というプレッシャーは大きくて当たり前だ。

「たいへんなんだね、星くん」

しみじみと星くんの顔を見ていて、「でも」と、ひどいことを考えてしまう。でも、こんなに素直で浮世離れした人が、普通の仕事をバリバリやっている姿は想像できないなと思い、私はクスクスと笑ってしまった。

「どうしたの？」と素直な星くん。

「なんでもないよ」と私は笑いをこらえた。

「斉藤さんは医者にはならないの？」

「お医者かー」

なれる気はまったくしなかった。なりたいと思ったこともなかった。

それから、ギターのレッスンまで時間があるとき、星くんはときどきうちに遊びに来た。イントロ当てクイズのように流行に関わる遊びや、ポーカーのように駆《か》け引きを要するゲームは、正直な星くんは弱すぎて話にならない。なので、よく向かい合って碁《ご》を打った。静かな気分は最初だけで、私はすぐ勝負に熱中してムキになるのだけれど、星くんは常におだやかだった。

星くんといると安心し、時間がすぐに経《た》つ。星くんと結婚するようなことがあったら、すぐおじいちゃんおばあちゃんになってしまうだろうなと、うつむいて次の手を考える星くんの顔を見ながらひとりで笑った。

その日は、病室でしばらく待っていても母が戻ってこないので、検査が長びいているんだろうと、いったん家に帰った。二階に上がろうとすると、なぜかバスルームから水音がする。あれ？　水道を出しっぱなしにしてたかなと急ぐと、中から歌が聞こえてきた。え？　何？　勇気を出して、おそるおそるドアを開けたら、母がのんきにバスタブにつかっている。

「おかあさん!?　ビックリさせないでよー」

母はクシャッと笑った。

「おかえり」

「退院したの!?」

「ううん。病院だとゆっくりお風呂に入れないから、抜け出してきちゃった」と気持ちよさそうに湯船にからだを沈めた。

そのあと母は、髪の毛を乾かし、シュッシュッと香水をつけた。

「香水つけたら、抜け出したのバレちゃうよ」

「平気よ。病院の石鹸《せっけん》とこの香水、匂《にお》いがそっくりだから」

「え〜」

全然違うと思った。病院で母の病室に入ったとき、香水の匂いがしないことにすぐに気づいたのだから。それなのに母は、もうワンプッシュ香水を噴《ふ》きつけていた。

「わ!」

「平気、平気」

根拠なくそう断言したあと、母は鼻歌を歌いながら、パジャマの上に厚手のコートをはおった。

「病院まで私も一緒に行くよ」

母がこのまま、コンビニやＣＤショップやいつものコースを回って、また家に戻ってきてしまうのではないかと心配になったのだ。ところが母は、玄関を出ると、

「ごめんね、あかり。六時までに戻らないと看護師さんが来ちゃうから、急いで帰るね」

と自転車にまたがるのだった。

「あかりが次にお見舞いに来たとき、これ乗って帰ってね」

そう言って笑いながら、母は白いコートの裾《すそ》をはためかせ、海に向かう坂道を自転車で勢いよく走り下りていった。


母が入院して数週間が経《た》ち、家事もすこしだけ覚えた。母のモッパをはいてスケートのように床を掃除すること、洗濯をして庭のロープに干すこと、バスタブを洗うこと。料理はまだできない。

日曜日だというのに、出勤の支度《したく》をすませた父が、食卓でゆで卵をかじりながら牛乳を飲んでいるのを見かけて、ちょっとかわいそうになった。

「私も料理、覚えようかな」

「コンビニで買えばいいさ」

「さみしくない？」

父がすこし切なそうな顔をして私を見た。

「明日は朝から学会だから、札幌《さっぽろ》に泊まりなんだ。平気か？」

「平気だよ」

家で一晩中ひとりになるのは、そういえば、はじめてだ。

「一緒に札幌に来るより、あかりは家にいたほうがいいだろ？」

父なりに困っているんだなと伝わってきた。なのに、反抗的な気持ちがむくむくと大きくなっていく。

「そういうこと相談したいんだったら、決める前に言ってよ！」

「……やっぱり、出張止《や》めたほうがいいか？」

「もういいよ。行ってくれば」

「ひとりで怖《こわ》くないのか？」

父は会話に疑問形が多すぎる。痛みはどうですか？　熱はありますか？　アレルギーはありますか？　患者に質問する癖《くせ》がついているからに違いない。

そのとき、庭木がざわざわと動く音がした。

「ん?」

父も庭を見た。また庭木がざわざわ動く。

「庭に何かいるな」

そのとき、庭木の下から白いものがヌッと頭を出した。私は「もしや」と思い、サンダルをつっかけて、そっと庭に降りると、子犬が庭木の中からおずおずと顔を出していた。薄汚れているし、一回り大きくなったけど、右の前足が靴下をはいたように真っ白なので、この間庭で見かけた子に間違いない。「え? 犬か?」と言う父に、「静かに」のサインを送る。

今日こそ、いつかの浜辺の犬みたいに私の腕に飛び込んできてほしい。いちばんいい笑顔を心がけ、しゃがんで、両手をウェルカムの形にひろげる。

「おい、あかり、やめとけ。噛《か》まれるぞ」

父も庭に降りてくる。子犬は三歩進んで、全身を現した。

「おいで、おいで」

せいいっぱいやさしい声を出すと、子犬は首を傾《かし》げるようにして私を見上げた。犬なのに二重《ふた》瞼《えまぶた》。そのほとんどが黒目の人なつっこい表情で私を見つめている。私の中に温かいものが流れ込む。しゃがんで両手をひろげたまま、私はすこしずつにじり寄った。父が変な音を出すのでキッと振り返ると、口に手を当てて吹き出さないようにこらえながら、私と子犬の駆《か》け引きを見ている。私は子犬に向き直り、更《さら》ににじり寄ろうとして、バランスを崩《くず》し尻餅《しりもち》をついてしまった。そのとき、子犬がテテテと私に近づいてきた。尻餅をついたまま呆然《ぼうぜん》としていると、子犬はまるで笑っているような顔で私のそばまで来て、ピョンと跳《は》ねた。抱きとめると同時に私は後ろに倒れてしまい、庭に仰向《あおむ》けになった私の腕の中で、子犬はシッポを振っていた。

「飼っていいよね？」

私は仰向《あおむ》けのまま、首を反《そ》らして父に聞いた。

「犬の飼い方、わかるのか？」

父はまた疑問形で返してきた。

「わからないけど、ちゃんと調べるから」

「おかあさんに聞きな」

「飼っていいよね？」

ダメだと言われたら、この子を連れて家出するくらいの勢いで、また聞いた。

「俺はいいよ」

父は真面目《まじめ》な顔で立ったまま、子犬をじっと見つめている。

「どうかしたの？」

「……いや。かわいいもんだなと思ってね」

しゃがんで、またじっと見てから、

「雌《めす》だな」と言うのだった。


まず私はその子犬をお風呂場で洗うことにした。子犬はシャンプーの泡に包まれ、くすぐったそうに胴震《どうぶる》いをするので、私の顔も泡だらけになった。シャワーをあてると、バスルームいっぱいにシャンプーの香りがひろがり、子犬はきゅうきゅうとうれしそうな声をあげてシッポを振った。

犬を飼っている同級生に電話で聞いて、エサも作った。ごはんにツナをのせただけだけれど、私が生まれてはじめて作った料理だった。エサ皿を子犬の前にならべると、ツナ丼《どん》に鼻先を突《つ》っ込み、ガッガッガと勢いよく食べはじめた。出張に出かけたと思っていた父は、犬を飼うために必要なものを揃《そろ》えて、昼過ぎに帰ってきてくれた。

その日の夕方、私はさっそく病室に子犬を連れていった。コートの中に子犬をすっぽり入れたら、子犬は私のえり元から顔だけ覗《のぞ》かせた。私の顔のすぐ下に子犬の顔。母が見たら爆笑するだろうと思うと楽しくて、クスクスと笑いながら病室に入った。

「うれしそうねー。いいことあったの？」

と聞いてから、母は「あ！」と声をあげ、そして予想通り笑い出した。私は受けたのがうれしくて、しばらくそのままの格好で笑いの止まらなくなった母の前に立っていた。私のコートの中で子犬もシッポを振ってよろこんでいる。

母が涙をぬぐいながら聞いた。

「その子、誰？」

「見て、見て」

コートの中から子犬を出して母に見せると、真っ白な足先を見て母が「あ」と声をあげた。なぜ驚いたのか、本当の理由はあとになってわかるのだけれど、そのときは子犬の変わった模様を見て、ただめずらしがったのだと思っていた。

「こないだ逃げちゃった子が戻ってきたの」

「ほんとに!?」

「ドロドロに汚れてた。右足に靴下はいてなかったら、同じ子かどうかわからなかったよ」

母は手を伸ばして、子犬の靴下をはいたような前足に触《ふ》れた。

「うちの子になりたいと思ってくれたんだね」と母は子犬の前足と握手《あくしゅ》する。

「飼っていいよね？」

「おとうさんには私から言っておくから」

「おとうさんが必要なものを買ってきてくれたんだよ」

「へえ。そうだ、名前をつけてあげないとね」

「何がいいかな」

「靴下はいてるから、ソックスにしない？」

「ソックス……いいね」

「決定！」

「今から君は『斉藤ソックス』だよ」

ソックスはその名前が気に入ったようで、私を見上げてシッポを振っている。

「あかり。犬を飼うときはね、犬と10の約束をしないといけないのよ」

母がめずらしく真面目《まじめ》な顔をして言った。

「10の約束……？」

「守れないなら飼ってはダメだし、飼っている間もこの約束をいつも思い出して」

「どんな約束？」

「じゃあ、おかあさんをソックスだと思ってね」

母はソックスを胸の前に抱いて、ソックスの後ろに自分の顔を隠し、二人羽織《ににんばおり》するみたいにして言った。

「犬語はわかりにくいかもしれないけど、私と気長につきあってくださいね」

母はソックスになりきったようで、だんだん私も母とではなく、ソックスと話している気になってくる。母も左右違う靴下をはいていたことがあったのを思い出した。

「いいよ」と返事した。

「今のが一つ目ね。二つ目は、私を信じて。それだけで私は幸せです」

「ほんと？」

ソックスが母の腕の中で私を見ている。その目は、前世以来の再会をよろこんでいるようで、見つめられると、そのことばに嘘《うそ》はないと実感する。

「三つ目。私にも心があることを忘れないで」

心……。

「そうだね。忘れない」

「四つ目。言うことをきかないときは、理由があります」

「ふーん」

私は理由もなくききわけが悪くなることがあるよ、とは言わないでおく。

「五つ目。私にたくさん話しかけて」

「もちろん」

「人のことばは話せないけど、わかっています」

「はい」

「六つ目。ケンカはやめようね。本気になったら私が勝っちゃうよ」

「私が勝つよ」

「七つ目。私が年を取っても仲良くしてください」

「はい」

「八つ目。私は十年くらいしか生きられません」

十年？　ということは私が二十二、三歳のときまで？

「そうなの？」

ソックスの顔を覗《のぞ》き込む。ソックスはゆっくりと瞬《まばた》きをするので、「まあね」と言っているように見える。でも、そのときまだ十二年しか生きていなかった私にとって、十年は人生全体と同じくらい長い時間だったので、そのことばを重くは受け取らなかった。

「だから、一緒にいる時間を大切にしようね」

そういうことか。了解。

「九つ目。あなたには学校もあるし友だちもいるよね」

だからどうなの？

「でも私にはあなたしかいません」

え？

「私だけ？　おとうさんやおかあさんもいるじゃない」

「いいえ。私にはあかりしかいないよ」

　ソックスが私を見ている。笑ったような顔で。私しかいない？　ほんとに君はそう思っているの？

「そのことを忘れないでね」

「うん……」

「十個目。あなたと過ごした時間を忘れません。お願いです」母がことばを選ぶようにすこし間を置いた。

「私が死ぬとき、そばにいてね」

「……そんなこと言わないでよ」

　母からソックスを受け取って抱くと、ソックスは窓の方に顔を向けてあくびをした。

「約束を守れる？」

「うん」

　調子よく返事をしたけれど、そのときはソックスを飼えることになったうれしさで頭がいっぱいだった。

ソックスがうちに来てからというもの、私はさびしいと感じることがほとんどなくなった。父は相変わらず私が起きている時間に帰ってくることは滅多《めった》になく、母は病院にいるので、普通ならさびしくて当たり前なのだけど、家にいる間中、ソックスがまとわりついてくるので、そう感じる暇《ひま》がない。

さびしがりやのソックスは、私が長風呂しているだけで、一階をうろつき私を探し回る。私の姿が見えなくなると、十分もしないうちに「くぅん、くぅん」と鳴き声をあげはじめるのだ。それは私がいなくてさびしいときにする独特の鳴き方で、私がテレビや宿題に集中したくてソックスを無視していても、その声が聞こえてくると、やっていることが手につかなくなり、結局一緒に遊んでしまう。湯船にゆっくりつかっていたら、その鳴き声が小さく聞こえてきたので、急いでシャワーを浴びて、バスタオルをからだに巻き付けながら、

「ソックス、ここにいるよ!」

とバスルームから顔を出した。だけど、一階をぐるりと探してもソックスは見当たらず、「くぅん、くぅん」という声しか聞こえない。

「ソックス、どこ?」

と呼ぶと、ソックスがしきりに吠《ほ》えるのが聞こえてきた。声のする方を見ると、ソ

ックスは階段の上にいて、下りられなくなったまま私を探しているのだった。私に抱かれて何度も二階に上がったので、階段の上に私がいるのではないかと思って、とうとう自力で二階まで上がったのだろう。今度は私が二階まで駆《か》け上がり、バスタオルのまま、ソックスを抱きしめた。

その後、ソックスが階段をひとりで下りる現場を目撃した。上るときは野生の動物みたいにタッと駆け上がるのに、下りるのは本当に下手《へた》なのだ。一歩進んでは伸び切り、進退《しんたい》きわまるような緊張の数秒があり、やっと次の一歩を震《ふる》えながら進める。私が学校に行っている間、私を探して二階に上がってみたものの下りられなくなり、エサは一階なので空腹に耐《た》えられず、下り方も学習したのだと想像した。思わず吹き出したら、ソックスは、「え？　いたの？」とビックリして私を見、照れ隠しするように階段の途中からジャンプして、私の胸に飛び込んできた。

そうして、ソックスはひとりで階段を上り下りするようになった。

私が考え事をしてソックスのことを忘れていると、「何考えてるの？　何？」と私にかまってもらいに来る。試しにキッチンに隠れて、ソックスがどうするか見ていたことがあった。十分もしないうちに伸び上がり、首を回して、私を探しはじめる。それでも心を鬼にして隠れていると、「くぅん、くぅん」と小さく鳴きながら、階段を駆け上がっていった。そのうち、私が学校に行くことは理解したらしく、八時間くらい会えなくなるのだけど、見送るときさびしがらずにシッポを振るようになった。私がうちに帰ってくると、どこにいてもダッと駆け寄ってきて、勢いあまってしょっちゅう私にぶつかった。


　ソックスがカーディガンにくるまって眠っていることがあった。

「あれ？　ソックス、これおかあさんのじゃない？　どこから持ってきたの？」

　ソックスから母のカーディガンを取り上げようとすると、恨《うら》めしそうに私を見る。そのときは理由がわからなかったけれど、同じようなことがまたあった。母の好きだったボーダーの靴下をくわえたまま二階から階段を下りてくる現場を目撃したのだ。

「ちょっと、ソックスくん。何をしてるんですか？」

　ソックスはきまり悪そうに階段の途中で立ち止まり、母の靴下をくわえたままの間抜けな顔で私を見た。

　母の倒れた日にソックスがうちに来たことを、ふと思い出した。そうか、ソックスは母の匂いが好きなのか。思わずソックスを抱きしめ、小さな声で名前を呼ぶと、靴下はくわえたままで私を見上げた。

ソックスはテレビも好きで、いつもは私の横で丸まるとすぐに眠ってしまうのに、私がテレビを見ているときだけは、大きな目でじっと画面の方を見る。特に好きなのは音楽番組で、曲に合わせてシッポをメトロノームのように振るのだ。

ある日の夕方、母の病室へ行く前に、星くんを家に呼んでギターを弾《ひ》いてもらった。そのときのソックスのよろこびようといったら、普通じゃなかった。シッポが椅子《いす》の脚《あし》に当たるのにもおかまいなしで、音楽に合わせ勢いよく振っていた。

「すごい興奮《こうふん》してるよ」

「こんなによろこんでもらえたの、はじめてだよ」

星くんは面白《おもしろ》がって、いろいろなテンポの曲を弾いてくれた。ソックスはゆったりした曲よりも、メリハリのきいたアップテンポの音楽が好みであることがわかった。CDでシンディ・ローパーを聞かせたら、星くんのギターよりもよろこんで、シッポを振るだけでは飽《あ》き足らず、小さな円を描きながら曲に合わせて跳《は》ね回った。

「ソックスはポップスのほうが好きなんだね」

星くんはすこし傷ついていたけれども、このときからソックスは星くんになついた。

私と母以外にソックスが心を許した最初の人は星くんだった。

五月に入って、函館《はこだて》でもようやく桜が咲きはじめた頃、母は予定通り退院した。ソックスがうちに来て一カ月近くが経《た》っていた。ソックスは二倍くらいの大きさになり、足どりもしっかりして、子犬というよりはもう少女犬という感じ。母が鼻歌を歌うと、それに合わせるようにソックスもシッポを振る。母はソックスがシッポを振り出すと、

「張り合いあるなー」と言って、何曲も歌った。

母とソックスと一緒に、海岸に散歩に出かけた。私がリードを持ち、母は鼻歌を歌っている。今日は久しぶりに、シンディ・ローパーの『タイム・アフター・タイム』。ソックスが曲に合わせてシッポを振りはじめる。坂道を下り、海岸通りに出たとき、コンビニの前でギターケースを背負った星くんと会った。母のエピソードを話すたびに会いたがってたから、私はさっそく星くんに母を紹介した。

「星くん、うちのおかあさんだよ。こちらは、ギターの上手な星くん」

「こんにちは」と星くんがていねいにお辞儀《じぎ》をする。それなのに母は、

「へえ。かわいいねー」

と言いながら、星くんをまじまじと見ていた。星くんのほうがよっぽど社会人みた

いにちゃんとしている。しかも母は、

「今、歌の途中だったから、最後まで歌っていい？　そのあと、おしゃべりしない？」

などと言う。

「はい」

星くんは素直な返事をし、母はつづきを歌いはじめた。

「おかあさん、元気になってよかったね」

「うん」

「あの歌の歌詞、どういう意味なの？」

「道に迷ったらまわりを見て、私がいるから大丈夫、みたいな意味だって」

「ふーん」

まだ最後まで歌い終わっていないのに、母は急に振り向いて、

「ソックス、道に迷ったら、あかりを探してね」とソックスに言った。

「おかあさんは方向音痴《おんち》だからね」

「あかりもソックスをちゃんと見ててね」

とめずらしく真面目《まじめ》な顔をして、母が私に言った。

「10の約束、忘れないようにね」

「うん……」

そのときはもう、あの約束をかなり忘れてしまっていたので、返事が小声になってしまった。それは軽い気がかりのように、心に残ってはいたけれど……。

庭の桜がしきりに花を散らしていた。ソックスはそれがめずらしくてしかたないらしく、花びらを前足で捕《つか》まえようと、空から降ってくる花びらの中で飛び回っている。その日は父もめずらしく仕事を休んで家にいた。生真面目《きまじめ》な父にはまるで似合わない、ジーンズに薄いニットというラフな服装をして、母の膝枕《ひざまくら》で耳掃除をしてもらっている。そこまでくつろがなくたっていいのに、しかも膝枕だよ、とあきれながらも、母が家に戻ってきてくれたのがうれしくてたまらなかった。

母は父の耳元に顔を近づけて、何かささやいている。

春のおだやかな風に乗って、母の香水の匂《にお》いが私の鼻に届く。

「あかりをよろしくね」

父が母を見上げたとき、香水と一緒に母の声も私に届いた。

え？　なんでそんなことを言うの？　気になって両親の方へ近づくと、母はもう父の耳元から顔を離《はな》していて、父は目をつぶっていた。

そのとき、ソックスが突然吠《ほ》えた。

「何？　ソックス」

振り返ると、ソックスが鼻の頭に花びらをひとつのせ、首を振っている。鼻に花びらがくっついてしまい、とれないらしい。それがかわいくて、私は尻餅《しりもち》をついて笑った。母も爆笑し、父も笑い、ソックスはみんなが注目するのでキョトンとして、花びらを鼻にのせたまま、私たちを見ていた。

次の日、母は再入院し、桜に葉が目立ちはじめた頃に亡《な》くなった。末期のすい臓ガンだったと父に聞かされた。「そばにいて、なぜもっと早く気がつかなかったんだろう」と父がつぶやくのを二回聞いた。

お通夜《つや》の前の昼、父はリビングルームの床で母の遺影《いえい》を選んでいた。十冊以上積みあげられたアルバムをはさんで、父の隣に座り、私もアルバムをながめた。

幼い母。

友だちと騒いでいる女子高生の母。

ナースキャップの母。

白衣の父と母のツーショット。

赤ん坊の私を抱いて爆笑している母。

父は、私に何か言おうとして声を詰《つ》まらせた。私の心はがらんと静まり返っていて、空《から》っぽな頭は何も考えられず、涙も出てこなかった。ただただぼんやりと、一枚の例外もなく笑っている母の写真を見続けた。

お葬式《そうしき》が終わり、父と二人、コンビニでお茶やおにぎりを買ってから家に帰った。食卓についても、何も食べたくない。ただ座っているだけだった。

「……これからはなるべく、家にいるようにするよ」

父は私とソックスを見ながら切なげにそう言った。返事をしたかったのだけど、ことばにならなかった。私はくたくたで、すぐ二階に上がり、ベッドに倒れ込むようにして眠った。


そして、そのまま起きられなくなってしまった。

ノックの音が聞こえて目は覚めたけれど、頭まで毛布をかぶったまま動けない。

「おい、朝ごはんできたぞ。ゆで卵とおにぎりだけだけど」

とドアの外から父の声。食欲がないどころか、毛布から抜け出る気力もなかった。

「食べたくない」

「食べないと元気出ないぞ」

「………」

父が階段を下りる音が聞こえる。部屋がシーンとする。父に悪いとは思うのだけれど、毛布の中で丸まって眠っていたい。眠って夢に戻ると、そこでは母に会える。またドアがノックされた。返事をしないでいたら、そっとドアが開いた。誰とも話したくない、入ってこないで、と思うけれど、それすらことばにならない。ドアが開き、床を踏むかすかな音が聞こえた。父が私のベッドの横にある勉強机の椅子《いす》に座っているのだろうと思い、かぶった毛布からそっと頭を出して、片目だけ開けて様子をうかがった。二重瞼《ふたえまぶた》の大きな目がこっちを見つめている。あれ？　ソックスだったの？　ソックスはのんびりした顔をして、床にぺたんと座っていた。私と目が合うと、ぶんぶんとシッポを振り、軽く跳《は》ねてベッドの上に乗って、丸まった。ソックスの顔は見えなくなったけれど、温かい重みを感じた。私はそのままどろんでしまい、目が覚めると、ソックスはまだベッドの上にいる。静かに毛布から抜け出ると、ソックスはすやすやと気持ちよさそうに眠っていた。ソックスも夢を見るのかな。しばらくソックスの寝顔を見ていて、自分がようやく起きられたことに気がついた。

喉《のど》がかわいていた。ソックスを起こさないようにそっとベッドから降りようとすると、首の後ろに激痛が走った。目の奥が熱くなるくらいの鋭《するど》い痛み。おそるおそるからだを動かしてみると、からだは普通に動く。だけど、頭をすこしでも回そうとすると、強烈《きょうれつ》に痛い。首さえ動かさなければ痛みはないようなので、顔はまっすぐ前を見た姿勢のまま、ゆっくりと階段を下りた。

顔を動かせないと、水を飲むのも一苦労だった。まっすぐ立ったままコップを口元まで持ってきて、コップをすこしずつ傾けて水を口に流し込む。すこし顔を上に向ければ楽に飲めるのだけれど、上下左右、どう動かしても首に痛みが走る。

リビングルームに行くと、新聞を読んでいた父が振り返って、顔に笑みをひろげた。

「久しぶりだな」とめずらしく父が冗談を言った。実感だったのかもしれない。

「起きられてよかった。さすがソックスだな」

「ソックス？」

「おとうさんが呼んでもあかりが返事しないから、ソックスに行ってもらったんだよ」

ソックスが来てくれたから起き上がることができたんだ。

「でも、おとうさん、首が……痛くて動かせないの」

「そうか」と父はお医者の顔になって私を見た。

「三十時間以上寝てたからな。一緒に病院に行こう。今日はちょうど整形外科の偉《えら》い先生がいる日だから」

うなずこうとして、また激痛にうなった。


父が勤める大学病院に連れていかれた。モミアゲが耳の横でくりんと丸まっている有名教授が私の診察にあたり、四、五人の医学部の学生が私を取り巻いた。教授は、私の頭を掌《てのひら》で真上から押して、

「これは痛い？」

と耳の遠いおばあちゃんに話しかけるみたいに大きな声で聞いた。痛いなんてもんじゃない。おでこにザッと汗が出て、声も出ない。

「痛くないね。レントゲン写真の所見も、異常なし。安静にしていれば一週間くらいで痛みが取れると思います。一週間してもまだ痛かったら、またいらっしゃい」

と教授はまた大きな声で言った。

このとき以来、私は声の大きい人物に会うと、この人は他人の痛みに鈍感であるに違いないと警戒《けいかい》するようになった（そして、かなりの確率でそれは当たる）。有名教授は鎮痛《ちんつう》剤とビタミンB_{12}と湿布《しっぷ》薬を処方してくれたけれど、どれも効《き》かない上に、頭を押さえつけられたせいか、その日から指先がしびれるようになってしまった。

頭を動かせないのは不思議な体験だ。食事をしていても前かがみになれないから、背筋を伸ばしたまま口元まで食器を持ち上げ、箸《はし》かスプーンで口にかきこむ。階段を下りるときは、眼球をめいっぱい下瞼《したまぶた》のところまで動かして、段差の位置を確かめながらそろそろと下りる。雨が降ってきても空を見上げることができない。散歩していて、ソックスがすれちがった犬にじゃれつこうとしても、そっちを見ることができない。ただ、仰向《あおむ》けになっていれば首は楽なので、家ではすぐに寝ころがるようになった。仰向けのまま、前へならえのかっこうをして、雑誌を読んだり、テレビを鏡に映して見る。学校で誰かに呼ばれると、まず立ち止まってとりあえず返事をし、それからからだごと回る。すると、向こうから声をかけてきたのに、すこし気まずい反応をされるか、「どうしたの?」とちょっとだけ笑われた。

本当に心配してくれたのは、星くんとソックスと父だけだ。星くんは往復のカバン持ちをしてくれ、父は寝ころがったまま本を読める読書スタンドを買ってきてくれた。ソックスは私が仰向けに横たわるとかならず寄ってきて、私の横に丸まる。夜も、毎日私のベッドの横で眠るようになった。

頭を動かせなくなったのは、母が死んだのに私が泣けなかったからかもしれない。悲しみが涙になってからだの外に出ていかなくて、首のあたりに詰まってカチンカチンに固まってしまったのだと思った。

指のしびれは数日で治ったけれど、首の痛みは二週間経《た》ってもとれなかった。朝の食卓で、背中に定規《じょうぎ》を入れたような姿勢で納豆《なっとう》を口にかきいれている私を、やはり納豆を手に持った父が哀《あわ》れむような目で見ているのに気づいた。

「何見てるの?」

「いや……」

「見てないで食べなよ」

父は素直に納豆を口にし、顔を歪《ゆが》めた。

「どうかしたの？」

父が悲しげな顔で口をもぐもぐ動かしながら、「ソースだった」とつぶやいた。

「おとうさんって、もしかして生活が苦手？」

父が情けなさそうに私を見る。

「そうなのかな」

「たぶん」

「ずっとおかあさんに任《まか》せっきりだったからなぁ。誰に教わればいいんだろう、こういうことって」

「おばあちゃんもいないしね」

「ああ、まずかった」

ソース納豆を食べ終わって、しみじみと父が言った。私は久しぶりに、すこしだけ笑うことができた。

「首が治ったら、私が料理覚えるよ」

「無理しなくていいさ」

「ソックスのエサのレパートリーは増えたんだけどね。おとうさんのエサは後回しになってるから」

「エサ？」

と父は笑い、ツナごはんを一心に食べているソックスを見下ろしながら、

「それ、一口食べてみようかな」と本気で言った。


首が回らなくなって、一カ月が経《た》った。

仰向《あおむ》けになって雑誌を読んでいると、ソックスが横に丸まって、シッポや鼻先でしきりに私にちょっかいを出してくる。

「ソックス、おなか空《す》いたの？」

エサをあげようと起き上がると、ソックスはぶんぶんシッポを振っている。ふと、ソックスの顔の前で、「あっち向いて」と指を立ててみた。「ホイ！」と上をさしたら、ソックスは下を見る。偶然だと思って、もう一回やってみる。やはりソックスは指と違う方を見る。確実に星くんより強い。

「ソックス、強いねー」

ソックスが短く吠《ほ》えてから、右を向く。え？

「もしかしてソックス、私にあっち向いてホイしてる？」

ソックスはまた「ワン」と吠《ほ》えて、左を見る。

「首が動かないから無理だよー。あっち向いてホイ！」

ソックスが私のさす方を見た。笑いがとまらなくなっている私に、またソックスが「ワン」と吠える。微妙《びみょう》な間《ま》があって、ソックスがパッと左を見る。

私も思わず、ソックスと同じ方を向いていた。あ！ 首が回った。しかも痛くない。もう一度おそるおそる回してみる。大丈夫。ゆっくりと逆を向いてみる。上も下も自由に動かせるようになっていた。

「やった。治った！ 治ったよ、ソックス！ ありがとー」

ちょっと得意そうな顔をしているソックスを抱きしめた。

遅く帰ってきた父に報告すると、

「たいしたもんだな、ソックス。教授でも治せなかったのに」

と言ってからふと黙り、

「患者のことをこんなに思ってる医者はいないからなぁ」

　としみじみと言った。

「私とソックス、人間でいったらどういう関係なんだろう。友だち？　きょうだい？　親子？　日本語わかってる？」

　ソックスを質問攻めにしながら砂浜を散歩していると、ふとソックスが立ち止まった。

「どうしたの？　ソックス」

　ソックスがじっと見ている視線の先に、ゴールデンレトリバーが伏《ふ》せてあくびをしている。ソックスと同じ犬種だ。ソックスも成犬《せいけん》になったらあんなに大きくなるのか。その犬のまわりを子犬が四匹、

はしゃぎながら駆《か》け回っている。きっと親子だ。長いリードを束《たば》ねて持ち、子犬たちを自由に遊ばせているのは、あのコンビニのおじいちゃん店長だった。すこし離《はな》れたところに座って、タバコを吸っている。私もソックスと一緒に、母子犬の姿をぼんやりと見ていた。

「ソックスはどこから来たんだろう。不思議だよね。ソックスのお母さんはどこにいるのかな」

何かを感じたように母親犬を見つめ続けているソックスを見ていたら、不意にかわいそうになった。

「私だってソックスと一緒だよ。ソックスには私がいるじゃない。似た者同士仲良くしようよ。さ、行こうか」

リードを引っ張っても、まだソックスは母親犬を見ていたいとばかりに踏《ふ》ん張《ば》った。

そのとき、コンビニ店長が近寄ってきて、

「大きくなったねー」と言った。

「え、私？」

不思議に思って聞くと、店長は、

「君とはほとんど毎日、顔を合わせてるじゃないか」と笑い、「この子だよ」とソックスを指さした。

「ソックスのこと、知ってるの?」

星くんとはコンビニによく行くけど、ソックスを連れていったことはない。

「あの子たちが産まれたときね」と店長は、母親犬にじゃれつく子犬たちを振り返った。

「君のおかあさんが犬を飼いたがっていたから、一匹連れていってもらったんだよ」

「え? ということは、あそこにいるのはソックスのおかあさんなの?」

店長はうなずく。

「そうなんだ……」

病室の母のところに、最初にソックスを連れていったとき、母が驚いたような顔をしたことを思い出した。ソックスを引き取ってきた日に母は倒れ、開けっ放しだった窓からソックスは外へ歩いていってしまった。そして近所をうろつき、また私の家に舞い戻ってきた。ソックスとの二度の出会いを、私は運命のように思って有頂天《うちょうてん》だったから、母はあえて自分がもらい受けてきたとは言わなかったのだろう。

ソックスはおかあさんの形見だったんだ……。

ソックスはゆっくりとシッポを振りながら、まだ母親犬の方を見ていた。不安になってくる。ソックスは本当の家族と一緒の方が楽しいのかもしれない。

「ソックス、おかあさんと一緒にいたい？」

私はおそるおそる聞いてみた。店長が肩をすくめた。

「余計なことを言っちゃったかな」

私は首を横に振り、ソックスにもう一度聞いた。

「ソックス、どう？」

ソックスは「？」と私を見上げ、シッポを振った。


母が亡《な》くなってから一年とすこしが過ぎた。父は朝早く出て深夜に帰ってくるか、早朝に帰宅して昼過ぎに出勤する毎日だった。私とは生活のペースが正反対で、何日も会わないことはざらだ。ゴミ箱にインスタント味噌《みそ》汁のカップが捨ててあったり、洗濯カゴに靴下が放り込まれていたりするのを見て、父が家に帰ってきたことを知る。

夜トイレに起きて、三日ぶりに父に会った。

「久しぶりだね」と厭味《いやみ》を言う。

「あかり、背が伸びたんじゃないか？」

「三日で？　タケノコじゃないんだから」

「あのな、あかり」

父が改まった様子で私の方を見た。

「おとうさん、転勤が決まったよ」

「え？　どこに？」

言い出しにくいのか父は目をそらした。

「札幌《さっぽろ》」

電車で四時間。通える距離ではなかった。

「え？　じゃあ私、転校するの？」

「それしかないよな？」

また疑問形。そんなことを私に聞かないでと思う。

「向こうで家を探すけど、それまでの間は大学病院の寮《りょう》に住むことになる」

「で？」

「ソックスは連れていけない。動物を飼っちゃいけないんだ」

「え!?」

決める前にちゃんと相談してよ。前に言ったじゃない。

「ごめん。なるだけ早く家を探して、ソックスを呼ぼう」

「……私は行かないよ」

声が震《ふる》える。

「それは無理だよ」

「………」

父はいつも、自分の仕事を優先して物事を決める。そのあと、それを私に伝えるときに苦しむだけで、結論はもう決まっているのだ。中学生の私にはどうすることもできない。また、首が固まりそうだった。


二階に上がると、ソックスは何の不安もなさそうにベッドの横で丸まっていた。

「……ソックス。大きくなったよね」

ソックスはのんきに私を見上げた。

「毎日会ってるから気づかなかったけど、去年の春は私のコートの中にいたんだもんね」

ソックスはゆっくりとシッポを振る。

「私がいなくても大丈夫？」

安心しきった顔のソックスを見ているうちに、あれ、逆かな？　と思う。私の方こそ、ソックスがいなくても大丈夫なんだろうか？

「会いに来るからね」

伝わったのかどうかわからないけど、ソックスは何か言いたそうな顔で私を見てから、またゴロンと丸まった。


ソックスを誰に預かってもらうか、ずいぶん迷った。父の同僚《どうりょう》、星くん、旭川《あさひかわ》の親戚《しんせき》……。いろいろ考えた結果、ソックスが母親やきょうだいたちと暮らせると思い、コンビニの店長にお願いしようと決めた。ソックスが母親やきょうだいたちと暮らせると思い、

コンビニの店長にお願いしようと決めた。コンビニのドアを開けると、いつものように店長がウインクをする。店を一回りしてから、意を決して、店長に話しかけた。

「私、引っ越すことになったんです」

「そう、どこに？」

「札幌《さっぽろ》」

「そうか。それはさびしいね」

「すぐにはソックスを連れていけなくて……」

「ソックス？　あぁ、彼女か」

「しばらく預かってもらえませんか？」

言ってから急に心が波立つ。

「うーん……」

「札幌《さっぽろ》で家が見つかったら、すぐ引き取りに来ますから」

「それは、母親と二回引き離《はな》すことになるよ」

そう言われると胸がしめつけられる。

「出会いって本当に偶然だよね。人間の場合、出会ったたくさんの人からひとりを選んで一緒に暮らすようになる。でも、犬の場合は自分で選べないから、出会いイコール運命なんだよ」

「運命……」

「ソックスは、産まれてすぐに君と暮らしはじめたから、犬語を話せないと思う」

「……」

「家族だってもう、ソックスの顔を忘れているかもしれない。もし、別に預かってくれるところがあるなら、うちじゃない方がソックスのためにもいいよ」

本当のことを言うと、店長のうちにソックスを預けたら、ソックスの気持ちが家族の方に行ってしまい、私のところへ戻ってこなくなるんじゃないか、という自分勝手な不安もあった。早くソックスの顔を見たくなって、急いでうちに帰った。

ソックス
〒040

ソックスは自分の意志ではなく私と出会った。一度逃げたあとに戻って来てくれたから、うちを選んでくれたのかもしれない。けれど、物心つくまでの数カ月を私と過ごしたせいで、ソックスは犬語を話せなくなった。私に赤ん坊のときから育てられたから、本当に心を通わせられるのは私しかいない……。

ドアを開けると、ソックスはいつものように私めがけて走って来る。シッポをぶんぶん振って私を見上げるソックスの顔を見ているうちに、切なくなって思わず抱きしめた。その顔は、「私にはあなたしかいないよ」と言っているようで、母があの約束を口にしたときの声が、どこからか聞こえてきたような気がした。

結局、ソックスが私以外になついている唯一《ゆいいつ》の人間、星くんに預けることになった。

引っ越しの朝、市電の駅までの道を父とソックスとで歩いた。二十分以上もかかるのだけれど、もうすぐソックスと離《はな》ればなれになるのかと思うと、二キロほどの道のりが短く感じられた。父の顔を見たくなくて、道を挟《はさ》んで反対側の歩道を歩いたり、五メートルくらい離れたり、怒りはおさまらなかった。

星くんは、路面電車のプラットフォームで待っていてくれた。そこで、ソックスのリードを星くんに渡した。

「ソックスをお願いします」

「うん。散歩もさせるしエサも作るよ」

「ごめんね。ギターの練習のじゃまになるね」

「ギタリストはね、技術だけじゃダメなんだって。音楽の持つ感情も表現できないといけないから、犬を飼うこともいい体験だって、おとうさんが許してくれた」

相変わらず素直な星くん。

「そうか、なるほど。医者もそうかもしれないな」

なぜか父が納得《なっとく》しているのが気にいらなくて、あてつけるように星くんに言った。

「絶対、すぐに迎えに来るから」

何かを感じたのか、ソックスが私の足に鼻先を押しつけてきた。

「行こうか」

父にうながされて、電車に乗り込んだ。振り返ると、ソックスが当然のようについて来ようとするのを、星くんがリードを引っ張って止めている。

引き返したい気持ちを抑《おさ》え、座席に座り窓を開けてプラットフォームの星くんとソックスに手を振った。私の顔が見えるとソックスが安心したようにシッポを振る。

「ソックス……」

「ソックスの写真を送るね。電話もするから」と星くんが言った。

はじめて見る電車がめずらしいのか、無邪気《むじゃき》によろこぶソックスを見るのがつらくて、私はシートにからだをうずめるように座った。そうすると、見えるのは星くんの顔だけになる。「くぅん、くぅん」というソックスの鳴き声が聞こえてくる。さびしいとき、決まってソックスがする独特の鳴き方――。

電車が動きはじめた。ソックスが吠《ほ》え続けるので、たまらずに窓から乗り出してソックスと星くんに大きく手を振った。星くんとソックスは線路沿いの道を駆《か》けてきた。ソックスのリードを押さえるのに必死で、星くんは手を振れない。ソックスと星くんがどんどん小さくなってゆく。私はまた、シートにからだをうずめて、目をつぶった。

第2章

新しい家は大学病院の職員寮《りょう》で2DK、前よりずっと狭かった。四階建ての二階に私たちの部屋はあって、窓から見えるのは向かいの建物の壁だけだった。父は引っ越しのことを気にはしているようで、不動産業者からときおり物件のファックスが届いていた。けれど、父は新しい職場で以前にもまして忙しく、相変わらず毎日深夜に帰り、朝早く出かけていった。

引っ越してから、私は料理が好きになった。ソックスのエサを作るかわりに、毎日父の食事を冷蔵庫の中に用意しておいた。朝起きて冷蔵庫を開けたとき、それが空になっていると、ちょっとうれしかった。「おとうさんのエサ箱をまた補充しておかないと」と張り合いを感じて、料理本をめくった。父に用事があるときは、メモ用紙に書いてテーブルの上に置いておく。起きると、返事のメモが残されていた。

父は、休日はできるだけ家にいるように努《つと》めているようだった。だからといって、「どこか行きたいところはないのか？」と父に聞かれてもまったく思いつかなかった。買い物も動物園も、父と行くのは気が進まない。「俺にできる家事はないのか？」とも聞かれたけど、それも特に思いつかなかった。趣味のない父は、休日も夕方くらいになると仕事のことが気になってくるらしく、そわそわしはじめて、しばらくすると「ちょっと研究室に行ってくるな」と結局出かけてしまうのだ。

二学期から転入した中学では、親切な同級生が次々と話しかけてくれた。私はできるだけ明るくしゃべろうと心がけ、陽気に振る舞った。でも、もともと社交的でない私は、放課後になるとぐったりしてしまい、ひとりでそっと逃げ出すように学校を出た。そのあと、札幌《さっぽろ》の地下街や賑《にぎ》やかな表通りがめずらしくて、あちこち覗《のぞ》いて回った。

寮に戻り、コンクリートの階段を上がってドアを開けると、部屋にしみついた知らない人の匂《にお》いに包まれる。タマネギとニンジンとトマトと茶碗《ちゃわん》一杯のごはんが冷蔵庫にあったので、それを全部混ぜて、トマトピラフを作った。整理できず、部屋のあちこちに積み上がっているダンボールをぼんやり見ながら、キッチンのテーブルでピラフを口に運んでいて、突然、心臓の音が大きくなったような気がしたと思ったら、胸が苦しくなってきた。どうしていいかわからなくて、ごはんを食べ残したまま部屋をうろうろしたり、近くのコンビニまで出かけてみても、胸の苦しさは治らない。父に早く帰ってきてほしいとめずらしく思ったけれど、私をソックスと星くんから引き離《はな》し、狭いコンクリートの部屋にひとり閉じ込めた張本人は父じゃないか、と急に気がつき、そうだ、久しぶりに星くんに電話しようと思い立った。

おかあさんが最初に出て、すぐに星くんに替わった。

「ちょうどよかった。ソックスがさびしそうにしてるから、ギターを聞かせようと思ってたんだ」

「ソックス、星くんのギター好きだもんね」

そう言ってから、「あ」と気づいた。ソックスがさびしそうにしてる？　そうだ、この胸が詰《つ》まるように苦しいのは、さびしかったからなんだ。

「ソックス、さびしがってるの？」

「うん。ときどきね、寝つかれないらしくて、クゥンクゥンってずっと鳴いてるんだよね。聞こえる？」

星くんが電話の子機をソックスのそばに持っていったらしく、電話口からソックスの鳴き声が聞こえてきた。

「ソックス！」

ソックスが受話器の向こうで吠《ほ》えるのが聞こえる。私の声だってわかるんだ。私は「ソックス、会いたいね。元気？　大きくなった？」と話しかけ、ソックスはそれに「ワン」とか「ワワン」とか「キャン」とか応《こた》えるので、何だかソックスと電話で話しているような気になった。ソックスがぶんぶんと振るシッポが、私の脚《あし》にあたる感触を思い出した。

そのあと、星くんと長電話をした。

「ソックスが寝つかれないときも、ギターを聞かせると、たいていすぐに眠るよ」

「何を弾《ひ》くの？」

「モーツァルトの『魔笛《まてき》』の序曲とか」

それはソックスには難しいかもしれない。あくびしている姿が目に浮かぶ。

「いい曲なんだけどね、ソックス、クラシックはわからないみたいなんだよね」

「私がポップスばかり聞かせてたからね」

「でも、クラシックを弾くと、何度もあくびしてそのうち寝るから、子守歌にはいいんだよ。一度『タイム・アフター・タイム』を弾《ひ》いたらね、興奮《こうふん》してかえって夜中まで眠らなくて失敗だった」

「『タイム・アフター・タイム』か……」

母を思い出して、胸がうずく。まだ、この曲は聴きたくない。

「クラシックの方がいいよ」

「そうだね。僕もポップス弾くと親に怒られるから」

「え？　怒られたの？」

「基礎をマスターするまではポップスは禁止だって」

ソックスの好きな曲を弾いてあげて、怒られてしまう星くん……。

「ごめんね。ソックスのせいで」

「大丈夫だよ」

「ありがとう。……ソックスは、もう寝た？」

「うん。すやすや寝てるよ」

「ソックス、大きくなったかなぁ。そうだ、今度ソックスの写真送って」

「わかった。明日から二週間フランスに行くから、帰ってからでもいい？」

「うん。フランスいいね。旅行なの？」

「ううん。向こうの音楽学校を受けてみることにしたんだ」

「すごいね。フランスかー」

「親がね……」

親の期待がプレッシャーになるということは私の場合まったくないので、むしろ子どもの可能性をいろいろ考えて、チャンスを与えてくれる星くんのうちがうらやましかった。自分の仕事のことしか頭にない私の父と足して二で割ったらちょうどいいのに。

電話を切る頃には、もう胸のつかえは治っていた。


十月も終わりに近づき、札幌《さっぽろ》の街はすでに冬の匂《にお》いに包まれている。

父は相変わらず仕事中毒だったけれど、父なりに私の進路が気になってはいるらしく、進学塾やピアノ教室のチラシをどこからか手に入れて、

「こういうのは行かなくていいのか？」と私に聞いてくる。

相変わらず疑問形が多いのだ。

「いいよ、別に。受験勉強は高校からで十分だし、うちにはピアノ置く場所がないじゃない」と私はつれなく答えた。

「そうか。何か習いたいものはないのか？」

「ない」

「そうか。生活費は足りてるか？」

食費のほかに、洗剤やトイレットペーパーなど細々《こまごま》したものを買うのは私の担当で、私は普通の中学生よりずいぶん大きな金額を渡されていた。

「大丈夫だよ」

「そうか……」

父はまだ何か質問をしたそうな顔をしていたけれど、私はそれを打ち切るように「学校に行くから」と外に出てしまった。

父につい冷たくしてしまうのは、ソックスと離《はな》ればなれにされていることが不満だったからだ。ピアノ教室のチラシを集める暇《ひま》があったら、早くソックスを呼べる家を探してほしかった。


学校から家に帰って、ドアの前で鍵《かぎ》を持っていないことに気がついた。何時に帰ってくるかわからない父を待つわけにもいかず、電話ボックスから父の職場に電話をした。「手術中です」と言われて、しばらくして別の電話ボックスからかけると、また同じ返事。四回目の電話をしたとき、雪が静かに降りはじめた。初雪だった。やはり父はつかまらず、仕方なくバスに乗って、父の勤める大学病院に行った。

ナースステーションで応対してくれたやさしそうなナースが私を案内してくれた。高橋朋《とも》と名札に書いてある。

「おとうさん、忙しいからさびしいね」

「慣れてるから、平気」

朋さんは、身長が百五十センチくらいしかなく、丸顔・童顔、しかもアニメ声なので、ついタメ口になってしまう。

「斉藤先生、もうすぐ手術が終わると思うから、それまでここで待っててね」

通されたのは、父の研究室だった。ドアのプレートを見て、はじめて父が助教授になったことを知った。仕事人間のわりに、父は家で仕事のことをほとんど話さない。研究室は広々としていて、天井まである本棚は資料で埋まり、窓からポプラ並木の枯れ枝が薄く雪をのせ、網《あみ》のように遠くまで連なるのが見えた。父の仕事が順調であることが、この立派な研究室から伝わってきた。大きなデスクには、一時退院したときに浜辺で母と撮《と》った写真が飾られていた。母と私が、笑いながらこっちを見ている。

私は父の大きな革《かわ》の椅子《いす》にうもれるように座り、ぼんやりと降り続ける雪を見ながら、父を待った。

三十分待っても、父は研究室に戻ってこなかった。ドアが開いた音に振り返ると、両手に缶ジュースを持った朋《とも》さんが入ってきた。

「コーラとウーロン茶、どっちがいい？」

「炭酸苦手なんで、ウーロン茶」

私にウーロン茶を渡すと、朋さんは応接用の椅子《いす》に座り、コーラのプルリングを引いて飲みはじめた。

「手術が長びいてるんだよねー。何か伝言あるなら伝えておくよ」

「家の鍵《かぎ》を忘れちゃって……」

「閉め出されちゃったんだ？　わかるわかる。私もよくやるから。悲しいよねー。どこにも居場所がない気持ちになってきて」

「そうそう」

「今日は雪が降ってきたし……。ちょっと待っててね」

とコーラの缶を持ったまま出て行った。

しばらくして戻ってきた朋さんに、「はい」と鍵を手渡された。掌《てのひら》の上の鍵が温かく、大切なもののように感じられる。

「あ。白熊だ」

朋さんがビックリしたように言った。私のセーターに、眠っている白熊が刺繍《ししゅう》してあったのだ。

「かわいいね」

「うん」

母が買ってくれた服だった。本当は母が自分で着たかったらしいけれど、「さすがにこれは着られないから、かわりにあかりが着てよ」と与えられた。母はよく、自分が着たいのに着られないものを私に着せた。私の好みはその際、関係ない。

「そうだ、あかりちゃんは円山《まるやま》動物園は行ったことある？」

突然、話題が変わった。

「ない」

「白熊がいるよ」

「そうなんだ」

「今度、一緒に行く？　モモンガも飛んでるよ」

「え？」

「『モモンガの飛翔《ひしょう》』っていうショーがあるの」と言いながら、朋さんは笑った。

「モモンガって変な名前だね」

私もつられて笑った。

「モモンガのモモって果物の桃？」

「違うよー。だったらンガは何？」

「ンガ？」

と、くだらないことを話しながら二人で笑った。


翌日、星くんから分厚い封筒が届いた。中にはソックスの写真がいっぱい詰《つ》まっている。眠っているソックス、神妙《しんみょう》な顔で鏡を見ているソックス、海を見ているソックス。ソックスが庭の犬小屋で寝ている写真もあって、外で飼われていることに胸が痛んだ。好きなテレビが見られないし、夜目が覚めても甘えられる人がいないから。でも、ソックスはもう子どもじゃないから仕方がない。

ソックスはずいぶん大きくなっていた。人間でいったら十二歳くらいだろうか。ソックスがこっちを見上げている写真には、星くんの字でフキダシにこう書かれていた。

『ひとりはからだに悪いね。また電話で話そうね』

ソックスの写真を、机の横の壁に画びょうで刺して全部飾った。星くんがフキダシ

を書いてくれた写真は、写真立てに入れて机の上に置いた。

鍵《かぎ》を忘れて閉め出された翌々日、やはり心配になったのか、父は私にＰＨＳという携帯電話を買い与え、自分も携帯電話を持つようになった。「いつでも電話していいからな」と父は言うけれど、それからは鍵を忘れないので、結局父の携帯に電話したことはなかった。その頃、携帯電話を持っている中学生はまわりにいなくて、星くん以外に番号を伝えることもなかった。星くんが、私の携帯にはじめてかけてきたときは公衆電話からで、十円しか持っていなかったらしく、すぐに切れてしまった。それ以来、携帯にかけてくるときは料金が心配らしくて、いつもやたらに手短なのだった。

写真のフキダシを見るとソックスの声が聞きたくなる。でも、星くんにかけると、かならずおかあさんが出るので、こちらからは気軽に電話できなかった。

年が明けたある日、冷凍弁当を電子レンジで解凍《かいとう》しているとき、携帯電話が鳴った。

「斉藤さん？」

星くんだ。

「めずらしいね。どうしたの？」

ソックスに何かあったかと、ちょっと不安になる。

「フランスの音楽学校からね、合格通知が来た」

「ほんと！　すごい、すごい！」

「不安だけどね」

「よかったねー」

「頑張《がんば》ってみるよ」

え？　ということは、星くんは日本からいなくなる。そうしたら、ソックスはどうなるんだろう？

「ソックスはどうしてる？」

「元気だよ」

「声聞かせて。こっちからかけ直すから」

「今、寝てるけど、起こそうか？」

「寝てるんならいいや。星くんがあんなフキダシ書くから、毎日電話したくなっちゃうよ」

「ごめんね」

「星くん、いつからフランスに行っちゃうの？」

「語学の学校にも通うから、二月には行くことになるかな」

「二月？　もうすぐじゃない」

「出発の日が決まったら、電話するね」

「うん。絶対教えて」

電話を切ってから、気持ちが妙に揺《ゆ》れた。星くんを失い、ソックスをさらに孤独にしてしまう不安にかられた。自分の部屋に戻ると、机の上のソックスがこっちを見ている。

「ソックス、さびしいよー」

思わず、写真のソックスに訴えた。星くんが送ってくれたソックスの写真がどれも、どこか悲しげに見えてしまう。星くんがいなくなると、ソックスは『星ギター教室』でやっかい者になってしまうだろう。気がかりが気がかりを生み、寝つかれずにベッドの中で悶々《もんもん》としていると、父が帰ってきた。

リビングに顔を出すと、父はコートを着たままお湯を沸《わ》かしていた。

「今日は夜更《ふ》かしだな、あかり。しょうが湯飲むけど、一緒にどうだ？」

のんきな父に腹が立ってくる。

「ソックスの住める家はどうしたの？　すぐに引っ越すはずじゃなかったの？」

「そうだな。探さなくちゃいけないな」

「ほんとに急いでよ。星くんが外国に行っちゃうんだから」

「星くんが？」

「フランスの音楽学校に合格したんだって」

「そうか。よかったなぁ」

「だから、早くソックスを引き取らなきゃ」

「わかった。急いで探すよ」

私の周りから大切な存在が次々といなくなってしまうという不安が、しばらく消えなかった。


地下鉄の駅でばったり朋《とも》さんに会った。

「学校の帰り？」

白いハーフコートにジーンズを身につけた私服姿の朋さんは、高校生くらいに見える。

「朋さんはこれから？」

「遅番だから五時からね。そうだ。今から一緒に動物園に行かない？」

朋《とも》さんは、中学生の私を友だちみたいに誘った。私は自然とタメ口になり、

「いいよ。つきあうよ」

と偉《えら》そうにうなずいた。白い息を吐《は》きながら、二人で天気雪の降る中を動物園に向かった。朋さんのほっぺたが寒さでピンク色になり、子どもみたいだと思った。

あくびするワニやすこし毛の灰色がかった白熊に、待望のモモンガの飛翔《ひしょう》も見た。キリンの舌が異様に長いことも、はじめて知った。二人とも黙って、動物たちに見入った。私は無性《むしょう》にソックスに会いたくなり、この際、朋さんにつきあってもらって、函館《はこだて》に行こうかとさえ考えていた。

「私、ほんとは獣医になりたかったんだよね」と朋さんがつぶやいた。

「ふーん」

「でも試験に落ちたから、看護師になった」

私は笑った。

「人間でもよかったの？」

「ほんとは動物の方がいい。斉藤先生にはないしょね」

「朋さんはおとうさんと仕事、一緒にしてるの？」

「よくするよ。私も外科だから」

「変人でしょ？」

「なんだか動物みたいだから、私は好きだよ」

「動物？　そうかな？」

「うん、賢い動物ね。マントヒヒみたいに立派な顔してるし」

「あはは」

「ほぼ毎日、寝癖《ねぐせ》つけてるよね」

「そうなんだ。顔合わせないから気がつかなかった」

「でもね。斉藤先生、いつもあかりちゃんのこと心配してるよ」

意外だった。

「家政婦さんを雇《やと》おうか迷ってたことはあったけど……」

「私も十四歳のときママを亡《な》くして、それからパパとお兄《にい》とずっと三人だけど、なんとかなってますよ、って斉藤先生に言ったの。家事なんて最初は家族の誰もできなくて、部屋はごちゃごちゃ、食事はコンビニばっかで、誰もアイロンもかけられないけど、特に問題なし。楽しく生きてるし、普通に」

「そうなんだ……。そしたらおとうさん、何て言った？」

「そうか、って真面目《まじめ》な顔してた。余計、不安にさせちゃったかな？」

と朋《とも》さんは笑った。


家に帰って、ソックスの声が聞きたくて、すぐ星くんに電話した。

「ソックス、今日はもう寝てるよ。最近、寝つきがいいんだよ」

「さびしがってない？」

ソックスがさびしがってないとしたら、私がさびしい。

「散歩に行って、もとの家の前を通ると、クーン、クーンって鳴くよ」

「私のこと忘れてないよね」

「会いたいんだなぁと思うよ。それで、斉藤さんの写真を等倍まで引き伸ばして、お面にしたんだ」

「え？」

驚いた。

「ときどき、それをかぶってソックスにエサをやるんだけど、すごいよ。はしゃいで」

そういうことを思いついて実行する星くんにもあきれるけど、それを私だと思うソックスもソックスだ。

「じゃあ、ソックスは私と一緒にいると思ってるのかな？」

「匂《にお》いでバレてると思うけどね。今日ちょうど、僕も斉藤さんに電話しようと思ってたんだ」

「めずらしいね」

「フランスに行く日が決まったよ」

「ほんと？　いつ、いつ？」

「二月十五日」

「え？　もう来週じゃない」

「見送りに来てくれる？」

「うん。行くよ」

「十二時半に新千歳《ちとせ》空港に来て」

「絶対行く」

学校を休んでも、絶対に行かなければ。これで星くんとは長いお別れになるのに、そのときは久しぶりに会えるよろこびの方が大きくて、十五日が楽しみなくらいだった。

「学校がある日だけど、約束したから見送りに行ってくるね」

反対はさせないよ、というきっぱりした口調で父にそう言ったら、

「十五日か、ちょうどいいな。その日は久しぶりの休日だから、車で一緒に行こう」

と意外に協力的だった。一軒家を探す時間がまだ取れずにいるのが、後ろめたいということもあるのだろう。

「ソックスもそのとき引き取ってこよう」

「え……でも、住むところがないじゃない」

「犬好きの同僚《どうりよう》にでも預かってもらうよ」

「犬好きの人、いるの？」

「さあな。聞いてみるよ」

まったく頼りない返事だ。


当日の朝まで、父にドタキャンされるのではないかと心配だったけれど、今回は大丈夫だった。父はソックスを乗せて帰るためのレンタカーを借り、寮《りよう》の入口で待っていた。父が運転する車の助手席に乗るのは、はじめてだった。シートベルトを確認し、制限速度を守る、父らしい運転だった。幼稚園の頃、父の運転する車で、母と三人で、湖までドライブに行ったときのことを思い出した。そのとき私は、母と並んでリアシートに座り、母は私の髪の毛をかきわけて耳を出しては、「かわいいねー、あかり。

どうしてこんなに小さな耳なの？」と聞いたり、頬《ほお》を指でつついたり、しきりに私にちょっかいを出していたのを覚えている。街路樹が冬の陽差《ひざ》しに淡い影を落とす中、空港までのまっすぐな道を走っているとき、ふと『タイム・アフター・タイム』が口をついて出てきた。ちょっと前までは、歌うことも聴くことも避《さ》けていた。「道に迷ったら私を探して」と歌うこの歌を、今日は自然に口ずさむことができる。星くんの将来は可能性が広く開かれていて、今日は祝うべき船出だし、私は相変わらずどこへ行くのかわからずうろうろしている感じだけれど、迷っているわけではない。これからボーイフレンドとの長いお別れになるというのに、不思議に心躍《おど》っていた。

そのとき父の携帯が鳴った。父は律儀《りちぎ》に路肩《ろかた》に車を停《と》めて、話しはじめた。

「いやあ、困ったなあ。どうしても、ですか？」

という声が聞こえた。まさかとは思うが、ものすごく嫌《いや》な予感がする。

「今日は、はずせない用事があって。市川さんに執刀《しっとう》してもらえませんか」

私は横から父の腕を引っ張り、抗議の意志を示した。父は私に揺《ゆ》すられながら、

「うーん。弱ったなあ」とまだ断れずにいる。父が押し問答をしている間にも、どんどん時間は経過していく。

「……わかりました。すぐ伺《うかが》います」

父はそう言った。まさか。

「どうして！」

父のからだを揺《ゆ》すった。

「あかり、許してくれ。状態の悪い病人が頼って来てるんだ。断れないんだ」

「嫌だ。絶対に見送りに行く」

怒りで声が喉《のど》に詰《つ》まって、うまく出せない。

「ここまでタクシーを呼ぶから、それで行ってくれ」

父は携帯でタクシー会社に連絡を取っているが、なかなかつかまらないのか、電話を切る様子がない。時計を見ると、もう約束の十二時半になっていた……。

「間に合わなかったら、どうするの！」

私に責めたてられても父は何も言わず、じっとうつむいている。父もじりじりと焦《あせ》っているのだ。患者のことが気にかかっているのだろう。

「先に行けば？　私はここでタクシー待ってるから」と聞き分けのいいことを口にする気にはならなかった。父を苦しめたくて、私も黙り込んだまま車の中にいて、何度も時計を見た。

タクシーが来たときには一時を過ぎていた。私は押し黙ったまま、父の車を降り、タクシーに乗った。父が私にではなく、運転手に現金を渡しているのも気に入らなかった。父の車がUターンするのが、バックミラーに映《うつ》る。

「一時半に出発なんですけど、間に合いますよね」

「いやあ、それは無理だよ」

「無理でも、急いでください！」

「急ぐけどね、今、ちょっと道が混んでいるんだよね。でも、飛行機はよく遅れるから、とにかく行ってみよう」

もし間に合わなくて出発してしまうなら、その前に星くんは電話をくれるだろう。そう思い、携帯を何度見ても、常に圏外《けんがい》。私の携帯はＰＨＳで、移動していると自転車に乗っていても電波がつながらなくなる機種だったことを思い出して、絶望的な気持ちになった。

空港ロビーに駆《か》け込んだとき、大時計はすでに一時半をまわっていた。出発ロビーに急ぎ、成田空港行きのプレートを確認すると、すでに離陸したと表示されている。私はガランと人気《ひとけ》のない空港ロビーの長椅子《いす》に腰かけて、パタパタと変わるボードを、しばらくの間ぼんやりと見上げていた。立ち上がることができず、たっぷり三十分はそこに座っていた。ＰＨＳの留守電には、星くんから「待ってたけど、時間だからもう行くね。会いたかったよ」とメッセージが残されていて、それを何度も何度も聞き直した。不意に、ソックスに会いに函館《はこだて》まで行こうと思い立ち、ようやく立ち上がる気力が出た。

函館に近づくと、電車は海沿いを走り、夕陽に海がオレンジ色に輝いていた。母やソックスや星くんと一緒に、百回以上見た函館の夕陽。駅を降り、海沿いの道を『星ギター教室』に向かって歩いた。静かな波音をぬって、子どもたちの弾《ひ》くギターの音が聞こえてくる。教室のドアを開けて事務室を覗《のぞ》くと、星くんのおかあさんがいた。私は前から、もしかしたら星くんのおかあさんに嫌われているのかもしれないと思っていたけれど、今日は顔を合わせた瞬間から露骨《ろこつ》に不機嫌《ふきげん》そうだった。


「今日、見送りに来なかったのね」

「間に合わなくて。すいません……」

「進がずっと待っていたのに」

「はい……」

「ソックスを引き取るっていうから、わざわざ千歳《ちとせ》まで連れていったのに」

「すみません……」

「ひとりで来たの？」

「はい」

「もう暗いのに、今日はどうするの？」

「電車で帰ります」

「そう……」

「進くんの連絡先を教えてください」

「まだわからないのよ。一緒に行った夫から連絡が来るから」

私は札幌《さっぽろ》の住所と電話番号、携帯電話の番号をすべてメモに書いて渡した。星くんのおかあさんはそれをチラッと見て、デスクの脇に積み上げられた書類の上に置いた。

「ソックスはいますか？　今日連れて帰ります」

「え？　どうやって？」

「一緒に電車で……」

「半年前よりずいぶん大きくなったわよ。一緒に電車に乗れるの？」

「頼んでみます」

「おとうさんから車でソックスを迎えに行くからって、昨日、電話をもらってたんだけれど、おとうさんはどうしたの？」

「……仕事で来れなくなりました」

「……なんだかねえ。生き物を預かるって簡単なことじゃないのよ。お困りだと思って預かることにしたのに」

ブツブツと私に文句を言いながら、彼女は億劫《おっくう》そうに立ち上がり、中庭に向かった。そして、ソックスの犬小屋をかがんで覗《のぞ》き込み、「あら？」と声をあげた。

「いないわ……」

「え？」

「どうしよう。どこに行ったのかしら」

リードを繋《つな》いでいた犬小屋の、鉄具の部分が外れて垂《た》れ下がっているのを、星くんのおかあさんは手に取ってあわてていた。

「逃げちゃったのかしら」星くんのおかあさんはおろおろと私を見た。

「一緒に探しましょう。……もう、これだから動物を預かるのは嫌《いや》なのよ」

「ひとりで探します」

この人と一緒にソックスを探したくなかった。

「私は一応、保健所に連絡してみるわ」

オタオタしている彼女を無視して、私は中庭を出、冷たい夜気《やき》の中を走った。元の家に行くと、雨戸がぴったりと閉められ、庭は積もり放題の雪から、ところどころ雑草の枯れ枝が頭を出している。家の周りを一回りして、「ソックス！　ソックス！」と呼びながら縁の下も覗いてみたけれども、姿は見えない。

ソックスとの散歩コースを走ってたどり、坂道で息が切れた。振り返ると坂の下に青灰色《せいかいしょく》の海が見えた。リードの先にいつもいたソックスがいない。私の歩く速度にあわせて、リズムを取るように歩いていたソックス。懐かしい道を歩いていると、ソックスの不在がなおさら胸に刺さる。

散歩コースをくまなく探したけれども、ソックスはどこにもいなかった。こんな雪深い夜に、ソックスはいったいどこをうろついているんだろう？「ソックス……なんで家出なんかするんだよー」とつぶやいてみて、ふと、もしかしたら私に会いたくなって？　と思った。それしかないと思い当たると、私もソックスに会いたくてたまらなくなる。川沿いの道を冷たい風に吹かれながらとぼとぼと歩いていると、雪におおわれた対岸を、電車が走っていくのが見えた。走り去る電車を見送っていると、札幌《さっぽろ》に引っ越すときに、電車の窓からどんどん小さくなるソックスを見ていた去年の夏の記憶が甦《よみがえ》る。実物のソックスに会ったのは、あのときが最後だった。ソックスも電車を見ると、遠ざかっていく私の顔を思い出すのだろうか。

電車の轟音《ごうおん》が雪の混ざる夜気《やき》の中、小さくなってゆくと、不意に犬の吠《ほ》える声が対岸から聞こえてきた。声のする方を見ると、除雪車に吹き飛ばされ、土手のように盛り上がっている雪の上で、雪と同じ色の犬が走り去る電車に向かって吠えていた。

私は確信する。

「ソックス！」

思ったより、大きな声が出せなかった。犬は振り向かず、電車に向かって吠え続けている。私は駆《か》け出しながら、ありったけの声を振り絞《しぼ》り、もう一度叫んだ。

「ソックス!!」

弾《はじ》かれたように振り向いたのは、間違いない、ソックスだ。

「ソックス！　そこにいて！」と叫ぶが、ソックスは私の方に向かって一直線に走って来る。私とソックスの間には川があるのに——。

「ソックス！　ダメ！　止まって！」

懸命《けんめい》に叫びながら、橋へ向かって全力疾走《しっそう》した。ソックス、すこし頭を使って橋の終わりの場所に向かって走って。今、私もそっちに向かってるから。岸に沿って走って！　そのまま走ったら死んじゃうよ、こんな冷たい川！

私は急ブレーキをかけるように止まり、橋の欄干《らんかん》から乗り出して叫んだ。

「止まって！」

私の願いが通じたように、ソックスは立ち止まって私を見上げた。ソックスに橋のたもとを指さしながら、そろりそろりと橋を渡る。ソックスはそんな私を不思議そうに見上げている。ソックスが私の指の方を振り返った。そして私をもう一度見てから、川沿いに、橋のたもとに向かって走りはじめた。よかった……。ソックスがわかってくれた。ソックスはどんどん速力をあげて走る。まるで野生動物のように。私も駆け出す。雪の土手を駆け上がり、橋のたもとに躍《おど》り出たソックスは私に向かって走ってくる。私も走る。橋の中ほどでソックスとの距離が一メートルにまで縮まり、私の胸には熱いものがあふれる。ソックスは、止まってくれればいいのに、相変わらず全速力で走ってきて跳《は》ねて私の胸に飛び込み、ズドッと衝突《しょうとつ》した。私は尻餅《しりもち》をつき、ソックスを抱えたまま橋の上に仰向《あおむ》けに倒れた。

「バカだね、ソックス。家出なんかして。凍《こご》え死んだらどうするの」

ソックスは叱《しか》られながらも、シッポを振り続ける。ソックスは私が落ち込んだとき、いつもそばにいてくれた。星くんに会えずに私が悲しんでいるのを、ソックスは離《はな》れたところにいても感じ取ってくれたんだと思った。そして私に会おうと思って、家をやみくもに飛び出したんだ……。

雪に濡《ぬ》れたソックスを一秒でも早く温めようと、私はまた『星ギター教室』に向かった。星くんのおかあさんはソックスを見ると、

「ああ、よかった。心配してたのよ」と涙声で言った。

星くんのおかあさんが出してきてくれたバスタオルでソックスを拭《ふ》き、ストーブのそばに連れていくと気持ちよさそうに丸まった。私も眠気に襲《おそ》われ、いつのまにかソックスともたれあうようにして眠ってしまった。

肩を叩《たた》かれて目覚めると、目の前に父がいた。

「星さんから連絡をもらって、今着いたところだよ」

きょとんとしている私に、父はおだやかに言った。


ソックスと私がリアシートに乗り、父の運転する車で札幌《さっぽろ》に帰った。

「星くんのおかあさんから聞いたよ。間に合わなかったんだってな、見送り」

ソックスとの再会で収まっていた、父への怒りが甦《よみがえ》ってくる。

「本当にごめん」

「もういいよ。私もフランスに行くから」と無茶を言ってみる。

「フランスか、いいな。一緒に行くか」

父がありえないことを言い出したので、またムッとした。

「おとうさんにそんな時間があるわけないじゃない」

「あかり。あのな……」と父がめずらしく言葉を選んだ。

「おとうさん、大学病院を辞《や》めることにしたよ」

ドキリとする。

「え？　……どうして？」

「いろいろ思うところがあってね」

いつもひとりで考え、ひとりで結論を出す父のことだから、しばらく前から悩んでいたのかもしれない。仕事人間の父が病院を辞めて、いったいどうする？

「仕事人間なのに……」

父がすこし笑った。

「別に、医者を廃業《はいぎょう》するわけじゃないよ」

そのときは、父がどうしたいのかよくわからなかったし、家にいる父というのがうまく想像できなかった。

寮《りょう》に着き、ソックスと一緒に建物に入った。「ペット飼育禁止」と貼《は》り紙されている前を、父と共犯者のような微笑《ほほえ》みをかわしながら通りすぎた。

「ソックスは家族だからいいんだ。ペットじゃない」

父は真顔《まがお》でそう言った。部屋に入り、キッチンテーブルに座り、お茶を飲む。ふうと一息ついて、かたわらで丸まるソックスと私を交互に見てから、父が宣言するように言った。

「また、このメンバーで暮らそう」

「ほんとに？」

父がうなずく。

「大丈夫なの？」

「すぐに引っ越しをするよ。明日から物件を探すから、そう時間はかからずに決められると思うよ」

迷いのない吹っ切れたような表情で父はそう言った。

第3章

そうして、新しい家も見つかり、父は毎日うちにいるようになった。すこし鬱陶《うっとう》しいほどで、家事を覚えるんだと言っては、レースのカーテンを掃除機で吸い込んで破き、ナイロンのコートにアイロンをかけて溶かし、白シャツと黒いトレーナーを一緒に洗って牛柄《がら》にした。家事の苦手な母よりもひどかった。キャベツを前にして、お祈りでもするような神妙《しんみょう》な様子でキッチンに立っているので、

「何してるの？」と聞くと、

「千切りの練習」と言った。確かに、手には包丁を持っている。

「手術じゃないんだからさ。スライサーがあるよ」

「そういうものは使いたくないんだ」

と、なぜか頑固《がんこ》なのだ。さすが外科医だけあって、包丁さばきはたちまち上達して、精密機械のように鮮《あざ》やかになったけれど、味付けや煮炊《にた》きには興味もセンスもないら

しく、父が作った料理はソックスも口をつけなかった。料理と洗濯とソックスの散歩は私が担当し、アイロンは父が担当した。

私は身長が伸びて、朋《とも》さんと同じくらいになったので、ときどき服をもらうようになった。私に似合いそうなものを朋さんが見繕《みつくろ》って、ダンボールに入れて送ってくれたり、朋さんの部屋に行き、試着してからもらって帰ることもあった。朋さんの部屋で服を選んでいるとき、気になっていたことを質問した。

「おとうさん、なんで病院、辞《や》めたのかな?」

「理由はいろいろあると思うんだけど……。言っちゃっていいのかなあ」

「教えて、教えて」

「斉藤先生には秘密だよ。……あかりちゃんが空港に友だちを見送りに行ったときがあったでしょ?」

「うん……」

やっぱり私が直接の原因なんだと予想がついて、つづきを聞くのに勇気がいった。

「病院がお世話になってる政治家が患者さんだったから、どうしても斉藤先生に執刀《しっとう》してもらいたかったんだよね、病院長は。で、おとうさんに難しい手術だって嘘《うそ》ついて呼びつけたの。斉藤先生、何も言わずに手術していたけど、そのとき心に決めてたんだと思うんだ。終わってすぐね、病院長に、『今日限りで辞めさせていただきます』ってキッパリ言うのが聞こえて、ドキドキしたよ。『こんな簡単なオペのために、家族を傷つけました』と低い声で言うのも聞こえてきた。斉藤先生はそのまま部屋に戻って、もう荷物の整理をはじめてたよ」

「そうなんだ……」

父はずっと、私よりも仕事のことが大切で、なかなか家にも帰らず、札幌《さっぽろ》への転勤も勝手に決め、星くんを見送る日さえも私の気持ちではなく仕事を選んだ、と思っていた。でも、父なりに私のことを気にかけてくれていたことが伝わってきて、朋さんに話を聞いてよかったと素直に感じていた。

まもなく私たちは、前に住んでいた函館《はこだて》の家に戻った。そして父はそこに『斉藤医院』を開業した。朋さんを大学病院から引き抜き、彼女も函館に引っ越してきた。

私は地元の中学に戻り、小学校のときからの知り合いもたくさんいたので、平和な日々を送っていた。ただ、星くんと連絡が取れないことだけが気がかりだった。私たちが函館に戻ってきたとき、父と挨拶《あいさつ》に行ったら、『星ギター教室』の看板は外《はず》されて、新しい住人のためのリフォーム工事がはじまっていた。

それきり、星くんとも星くんの両親とも連絡が取れなくなってしまった。

携帯電話の番号は変わっていないから、星くんからは連絡があってもいいはずなのに……。もしかしたら、星くんは見送りに行かなかった私のことを怒っているのかもしれない。裏切られたと思って、やさしい星くんも傷ついたのかもしれない。そう思うと、私の気持ちも沈んでいく。

「そんなはずないよね」

仲良く過ごした時間を思い起こしながら、ソックスに聞いてみる。ソックスは私を見上げて、何の根拠があるのだか、うなずいた。


庭の桜は今年も満開の花を咲かせ、たくさんの花びらを散らした。桜の好きなソックスは毎年、満開の桜をうっとりと見上げる。桜を見ると気持ちがふさいでしまう私を元気づけるために、わざとそうしているんじゃないかと思うほど、毎年かならずソックスは花びらを顔や頭にのせたまま歩いて、私を笑わせてくれた。星くんからは連絡のないまま時間は経《た》ち、『星ギター教室』の建物はパスタ屋に変わってしまった。夕方になるとギターの音のかわりに、ニンニクを炒《いた》める匂《にお》いが海沿いの道まで流れてくる。

その後、私は地元の高校に通い、もうすぐ三年生になる。なんとなく理系を選んでいたけど、自分が何になればいいのか今もわからないままだ。小学生の頃から進む道を決めていた星くんをうらやましく思うのと同時に、「もし、どこかで才能がないと気がついたら、どうしたらいいと思う？」と悩んでいた星くんが、外国で元気にしているのか気になった。

「私は理系なんかとんでもない。微分《びぶん》のマークを見ると吐《は》き気がするよ」

同級生の井上侑子《ゆうこ》は迷いがない。授業中しょっちゅう居眠りをして、ノンレム睡眠に入ると大きな声で寝言《ねごと》まで言い出す侑子とは、散歩コースが一緒で仲良くなった。

侑子の愛犬はビジョンフリーゼという犬種で、フランス語で「愛くるしい巻き毛」を意味するのだと散歩コースでばったり会ったとき、さっそく侑子が自慢していた。

「スペインやフランスの貴族の間で大人気でね、香水風呂に入れてもらって、リボンもつけて、向こうの有名な絵にも貴婦人と一緒によく登場してるよ」

「へえ。なんていう絵？」

「知らない」と侑子は楽しそうに笑った。侑子はきまり悪いとギャハハと笑う癖《くせ》がある。

フランス貴族の抱き犬かぁ、と感心しながらも、むしろ豆大福が犬に変身したのではないかと思わせる、和菓子風な子だと私は思った。ふわふわの白い毛におおわれた、つぶれた大福みたいな形の顔のまんなかに、黒豆のようなちっちゃな目と口が集まっているのだ。あまりにとぼけた顔なので、目が合うとつい笑ってしまう。

「何がおかしいのよ」

「愛嬌《あいきょう》あるんだもん、この子」

と私はことばを選ぶ。ソックスをバカにされたら私も怒るから。

「名前、なんていうの？」

「重孝」

「シゲタカ？」

「彼氏と同じ名前にした」

「ああ石原くんか……この子、オスなんだ」

「メスだよ」

「メスで重孝？」

「いいの、いいの」

「似合わなくない？」

「似合うよ。ね？」

と侑子《ゆうこ》に呼びかけられて、首をひねってこちらを見上げる重孝の顔を見たら、急にその名前がぴったりな気がしてきて、笑いが止まらなくなる。

「バカにしてる？」

「してない、してない」

「そっちは？」

「ソックスっていうの。ほら。右足に靴下はいているみたいでしょ」

「ほんとだ。でも、ソックスっていうより足袋《たび》みたいだよ。タビって名前にすればよかったのに。ねえ、タビ」とソックスを呼ぶ。

「勝手に名前変えないでよ」

侑子《ゆうこ》が楽しそうに、「タビ」と呼ぶと、ソックスはなぜか振り向くのだった。


いつの間にか、ソックスは「あっち向いてホイ」が強い犬ということで、近所で有名になり、ソックス目当てで病院に来る患者さんが増えた。ソックスには「セラピードッグ」としての才能もあるようだった。ソックスとただ遊んでいるうちに、やる気の出なかったリハビリを自然にはじめた患者もいたし、やけどのショックでしゃべらなくなっていた女の子がソックスにあっち向いてホイを仕かけたのがきっかけで、だんだんに気持ちを開いていくということもあった。私も首が動かなくなったとき、ソックスに治してもらったことがあるので、気持ちはよくわかった。

父の専門は外科なのだけど、父はただの風邪《かぜ》の患者も花粉症の人も分け隔《へだ》てなく親切に診療《しんりょう》したので、斉藤医院はなおさら繁盛《はんじょう》して、いつも患者が待合室から廊下や庭まであふれていた。父は食事の時間も取れないほど忙しく、診療時間の合間におにぎりやサンドイッチを頬張《ほお》っていた。夜は夜で、書斎にこもり最新の論文を深夜まで読んでいて、家にいるようになっただけで相変わらず仕事漬けだった。ごくたまに、防波堤《ぼうはてい》でひとりビールを飲んでいることがあって、「どうしたのかな」と朋《とも》さんに聞くと、主治医をしていた患者さんが亡《な》くなったのだと教えてくれた。それは、父流の追悼《ついとう》の仕方なのだと思った。とはいえ家事も、アイロンかけと料理の下ごしらえは完璧にこなすようになり、大学病院に勤めていた頃よりも父は生き生きしているように見えた。


日曜日の夕方、ソックスを連れて、侑子と重孝と一緒に散歩に出かけた。

他人のことには無関心そうな重孝に声をかけると、重孝はとぼけた顔で、道端《ばた》に落ちているクッキーの四角い空き缶を見つめている。

「クッキーの匂いがするのかな」

すると、重孝はおもむろに空き缶に顔を突っ込んだ。

「こら、重孝、やめなさい。君は貴族なんだから」

侑子がリードを引っ張るけれど、重孝は抵抗して缶の底をなめている。やっと缶から引き離すと、重孝はいつものムクムクの大福形から、缶の形に合わせて四角くなった顔をして、きょとんと私たちを見上げた。

「さすが貴族！」

と私は爆笑し、侑子《ゆうこ》も仕方なさそうに、

「私に恥かかさないでよ！」

と叱《しか》りつけながら笑っていた。

笑いながら、家の前に差しかかったとき、庭から父が私たちを見つけて、

「ちょうどよかった、院長！」

とソックスを呼んだ。父はソックスのことを、いつからか「院長」と呼ぶようになり、「じゃあおとうさんは？」と聞くと、「副院長かな」と真面目《まじめ》な顔をして答えた。

「どうしたの？」

「ソックスと対戦したい子がいるんだよ」

と父が目顔で示す先には、十歳くらいの男の子と女の子が人見知りする様子で立っている。まず、男の子がソックスと向かい合って、あっち向いてホイをした。ソックスは相変わらず強い。応援していた女の子が笑い、取り巻いていた見物の患者も笑い、

「タビも相当笑わせてくれるねー」

と侑子も笑っていた。

「さすが院長」

父は得意そうにしている。

患者たちの間から笑い声と歓声があがり、男の子は悔《くや》しそうに意地になるけど勝てず、連れの女の子まで笑い出すのを見て、不意に雲の影が過《す》ぎるように私ひとり、悲しい気持ちにとらわれてしまった。笑っていた侑子が私の変化に気づいて、「どうかしたの？」と笑い止《や》んで聞いた。

「ちょっと、昔、仲のよかった男の子のことを思い出してた」
「ふうん……」
子どもの頃、母が入院して不安な気持ちでいたあのとき、寄り添《そ》うようにいてくれた最高の友だちを失《な》くしたのだと、思わないわけにはいかなかった。三年以上会っていないし、もう連絡も取れないのだけれど、いや、そのせいか、星くんのことがときおり不意に胸に影を差すのだ。

快晴の朝、庭の緑にホースで水をあげていると、飛沫《しぶき》に太陽の光が当たって、小さな虹を作った。ちょうど出勤してきた朋《とも》さんが、「あ」と声をあげた私の方を振り向き、虹に気がついて笑った。朋さんは今年三十歳になるはずだけど、はじめて会った頃とすこしも変わらない。

ソックスがはしゃいで、その小さな虹に前足で触《ふ》れようとする。ソックスは子どもの頃から水撒《ま》きでできる小さな虹が好きで、いつも虹に触《さわ》ろうと飛びかかっていた。今は大人になったから、虹を見下ろす感じで前足をひょいと差し出す。そして、空振《からぶ》りしてすこしよろけた。それがかわいくて、私は笑い、

「ソックス、いくつになったんだっけ？」

とソックスに聞いたとき、ふとドッグイヤーということばを思い出した。犬は人の七倍早く年を取る……。ということは、ソックスは今人間でいうと、三十五歳？　三十六歳？

「ずっと一緒にいたから気づかなかったけど、ソックスも年取ったんだね。もうすぐおかあさんの年だよ。おかあさんが死んだとき、三十八歳だった」

感傷的な気持ちになる私をよそに、ソックスは庭にできた水たまりに映る自分の顔を不思議そうに見ていた。

おかあさんの仏壇《ぶつだん》に、メロンを供《そな》えた。父とソックスと三人で並んで、爆笑する遺《い》影《えい》の母と向かい合った。

「ソックスがね、もうすぐおかあさんと同い年になるよ」

「そうなのか？」と父は驚いている。「ソックスは、おかあさんと交代するみたいにうちに来たんだったな」

「え？」

すこしドキリとする。

あの頃、ソックスは私の子どもだった。すぐに私の妹になり、友だちになり、友だち以上の何かになり、お姉さんになり……え？

「じゃあソックスは、今は私のおかあさんなのかな？」

「ソックスはソックスだよ」

「そうだよね。でも、それにしても」

私は横からソックスを抱きしめた。

「長いつきあいになったね！」

きょとんとしながらもシッポを振るソックスと私を、父はやさしい顔で見ていた。

第4章

特に深い考えもなく、私は地元の短大に入学した。他に受からなかったということもあるけれど、受験前、父に相談したとき、

「やりたいことが決まってないなら、語学の勉強をしておけばいいんじゃないか？　医学部に入ったら医者にしかなれなくなるし、職業は早く決めると選択の幅が狭くなるから、二十歳《はたち》すぎたら考えればいいんじゃないかな」と言われたのを、何となく真《ま》に受けたということもある。

「おとうさんはどうして医学部にしたの？」と聞くと、

「成績がよかったからね。いちばん難しいところに入ろうと思っただけだよ。まあ、たまたま向いていたからよかったけど、そうでない人も多いから注意した方がいいよ」

との答え。父に相談して、進路の参考になったことは一度もなかった。

侑子《ゆうこ》も短大に進み、同じ語学を選んだので、一緒の授業がいくつもあった。短大に

入ってから、何かから解放されたかのように侑子の寝言《ねごと》が進化し、突《つ》っついたくらいでは起きないし、起きてもまたすぐ眠り、夢の中でしゃべっているらしいことをぶつぶつ口にする。「失敗したぁ」とか「二郎、ダメダメ！　穴に落ちるよー」とか、ときどきみんなが振り返るほどの声をあげる。最初は笑っていた教師も、やがて何とかならないのかという顔になり、寝ている侑子はいいけど、隣に座っている私は顔が熱くなるくらい恥ずかしかった。

「ところで、二郎って、誰？」

授業のあと、まだ眠そうな侑子に聞いてみた。

「え？　あかり……何で知ってるの？」

「寝言です」

「アハハ。隠し事はできないね。重孝の名前をね、彼氏の変更にともない二郎に変えたのよ」

「彼氏の名前にするのやめなよ。あの子、混乱するよ」

「平気、平気。重孝の前はジョリーって名前だったんだから」

「ジョリー？　外国人とつきあってたの？」

「ううん。それは最初の名前でおにいちゃんがつけた」

「貴族も名前が何度も変わってたいへんだねー」

「平気、平気」と侑子《ゆうこ》は笑った。

能天気な話をしながら歩いているとき、私はふと、掲示板に貼《は》られたものに何か気がかりを感じた。通り過ぎ、十メートルほど歩くと今度はざわざわと胸騒ぎがする。

「引き返していい？」

小走りで掲示板の前に戻った。

「何？」

「わからないけど、なんだか気になって」

掲示板を見ると、Ｂ６サイズの小さなチラシに視線が奪《うば》われた。

「え？　嘘《うそ》……」

「どうしたの？」

のんきに聞いてくる侑子に、チラシの文字を指さした。そこには、『星進ギターリサイタル』と書かれている。写真は載《の》っていないけれど、「星進」で、「ギター」ならば間違いない、星くんだ。

「セイシンギター？」

「ホシススム。前に話した、幼なじみの男の子だよ」

「ああ。あっち向いてホイが弱い子ね」

「うん」

「へえ、すごいね。ほんとにギタリストになったんだ」

「ほんとに……」

リサイタルの日時と場所を確認すると、そわそわして落ち着かなくなった私を、侑子がニヤニヤしながら見ていた。そして私の心を見透《みす》かしたかのように、

「大丈夫だよ。ホシススムもあかりに会いたいと思ってるって」と何の根拠もなく私を励《はげ》ました。

会場には侑子と一緒に行った。なぜ見送りに行けなかったのか。なぜ連絡が取れなかったのか。なぜ電話をくれなかったのか。説明したいことや聞きたいことがたくさんあって、やっと会えると思うと落ち着かなかった。会ったら、いったい星くんはどういう反応をするのか、そもそも五年ぶりの星くんはどういう人になっているか想像がつかず、不安で仕方なかった。

リサイタルは百人以上収容できる立派な会場で行われた。開場前のざわめきの中にいると、私の方が緊張してしまう。

「楽屋《がくや》に行った方がいいんじゃない？」

「うん……」そうなのだけれど、気が重い。

「演奏を聴いたあとにする」

「演奏中に目が合っちゃうかも」

「……」

「それで演奏トチったら恨まれるよ」

そうかもしれない。

係員に教えられた通り、鉄の扉《とびら》を押し開け、殺風景《さっぷうけい》な通路を抜けると、「星進様・控室《ひかえしつ》」と書かれたドアが見えた。緊張で顔が強張《こわば》るのが自分でもわかる。思い切ってノックをすると、「はい」と中から知らない男の人の声が聞こえてきた。不安になり侑子《ゆうこ》を振り返ると、侑子はニッコリ笑ってドアを開け、私の背中を押した。

パイプ椅子《いす》に座って足を組みギターを抱えてガットを調整している青年が、ガランとした部屋の奥から私を「誰だろう」という表情で見ていた。さらさらの細い髪は昔と変わってない。物静かな美形の青年になっているけど、確かに星くんだ。

「星くん……」

星くんは、私が誰だかまだ思い出せない様子で、ギターを脇に置き、立ち上がって

「もしかして」と私の顔をじっと見た。

「斉藤さん⁉」

私はただうなずいた。

星くんの顔によろこびがひろがったように私には見えた。近づいてくるので、私はどうしていいかわからなくなって、うつむいてしまう。すると星くんは、ごく自然に私にハグをした。背も高くて、私より頭ひとつくらい大きかった。星くんはハグをしたまま、私の顔を見下ろして、

「久しぶりだね」と言った。

「星くん、大人になったね」

「そお？　背は伸びたけど、自分の顔は毎日見てるからわからないよ」

しゃべり方は昔の星くんと変わっていない。

「斉藤さんも変わったよ。最初気がつかなかった」

「そうかな……自分じゃわからないね」

「五年ぶりだもんね」

「うん」いろいろな思いが胸にあふれる。

「見送りができなくてごめんね」

星くんは微笑《ほほえ》みながら、「待ってたのに」と言った。

「途中まで行ったんだよ。でも間に合わなかった……」と五年ぶりに言い訳をして切なくなる。

「留守電は聞いたけど、そのあと連絡先がわからなくて」

「そうだったんだ。うちの両親が伝えてくれたとばかり思っていたから、電話も手紙もこなくて、嫌われちゃったのかと……」

星くんが驚き、そして顔を曇らせた。

「ごめんね、うちの両親がいけなかったんだね」

「ううん。でも、ずっとどうしているかなって思ってた」

「会えてよかった」

星くんがしみじみとそう言った。

そうだね、とうなずきながらも、気恥ずかしくてすぐに、

「本当に大人っぽくなったよね。声も変わったね」

「あたりまえだよ」と星くんが楽しそうに笑う。

「声がわりは遅かったんだ」

「そんな感じがする」

私より小さかった星くんがギターを背負って、坂道を上っていく後ろ姿を思い出した。

「リサイタル、おめでとう。ギター、続けててよかったね」

「うん。……やめてたら、会えないままだったかもしれないね」

「たまたまチラシに気がついたんだよ」

「あとで、また会わない？」

「うん」

ものすごく素直な気持ちでうなずいた。客席に着くなり、侑子《ゆうこ》が「いきなり抱き合ってたろ」と言った。

「見てたの？」

「そのあとは見てないから大丈夫」

「話してただけだって」

「聞いてたのと違って、かっこいいじゃん」

「昔はね、弟みたいだったから」

会場を見回すと、半分くらいの席が埋まっている。星くんは初めてのCDを出し、その発売に合わせて、北海道と東京と大阪で演奏会をするとチラシに書いてあった。

星くんが舞台に出てきて、ていねいに頭をさげてから椅子《いす》に座り、ギターを構えて演奏をはじめた。星くんの指先が弦《げん》に触《ふ》れると、そこから音楽が流れ出す。

二曲目から侑子《ゆうこ》が居眠りをはじめた。寝言《ねごと》を言い出すのではないかと気が気じゃなかったけど、幸いノンレム睡眠の時間がはじまる前に、星くんが「最後の曲です」と告《つ》げた。そのあと星くんが弾《ひ》いた曲を聴いていて、私は今座っている椅子ごと過去に運ばれるような感覚を味わった。それは、パッヘルベルのカノン。中学校のとき、音楽室で星くんが聞かせてくれた曲だ。ダウンライトの中の今の星くんが、西日の中の子どもだった星くんとゆっくりと重なっていく。星くんに爪弾《つまび》かれ、ギターの弦がマーマレード色に輝きながら震《ふる》え、そこから生まれる音が私を包んだ。


侑子は演奏が終わると目覚め、「よく寝ちゃったよ。ごめんね」と笑った。

「寝言言わなかっただけ上出来だよ」

「いいね。ああいう彼氏がいたら。寝苦しい夜とか奏《かな》でてもらえるね。私は先に帰るよ。ちゃんとつかまえといたほうがいいと思うよ」と言い残し、侑子は先に帰っていった。

楽屋口で待ち合わせて、星くんと並んで歩いた。

「今は函館《はこだて》に住んでるの？」

「うん。中学の途中で戻って来たんだ」

「ずっと札幌《さっぽろ》かと思ってた」

「……星くんは、いつ日本に戻ったの？」

「半年くらい前だよ」

「どこに住んでるの？」

「札幌」

「そうなんだ……」

「札幌は、教室の生徒の数がずっと多いんだって」

「そうか。元の『星ギター教室』は今、パスタ屋さんになってるよ」

「ほんとに？」

「全然おいしくないけどね」

星くんがすこし笑った。

「連絡先のこと、ごめんね」

「もういいよ」

「両親が相変わらず過保護でさ」

星くんの横顔を見ると、すこしうつむいて、独《ひと》り言《ごと》を言うようにしゃべっている。星くんは子どもの頃も、両親の話をするときはこうだった。

「星くんは変わらないね」

「さっき変わったって言ったよ」

「中身のことだよ」

「成長してないかな」

「相変わらず素直だなあと思って。あっち向いてホイする？」

「懐《なつ》かしい！……ソックスはどうしてるの？」

「大きくなったよー」

「会いたいなあ」

「今から会いに来る？」

星くんは、素直に「うん」とうなずい

た。

　市電を降り、防波堤《ぼうはてい》沿いの道を星くんと並んで歩いていると、記憶が一気に甦《よみがえ》ってきて、切なくなった。日が沈み、赤く染まった水平線を星くんは感慨《かんがい》深そうに見て、

「懐かしいなあ」とつぶやいた。

「札幌《さっぽろ》の今の部屋からは、地平線に沈む夕陽が見えるよ」

「海がなくてさびしくない？」

「フランスでもそうだったから、もう慣れたよ」

　と星くんは気取ったことを言った。

　星くんは、『パスタ漁火《いさりび》』になった元の家を見て笑い、『斉藤医院』の看板を見てヒュウと口笛を吹いた。ハグはする

し、外国育ちでキザになったところが何だか似合わないと思って笑っていると、私たちを見つけたソックスが犬小屋から飛び出しながら吠《ほ》えた。

星くんはソックスに駆《か》け寄り、

「ソックス!?」と横にしゃがんだ。「おっきくなったなあ」

ソックスは、星くんだとわからないようで、「この人、誰？」という顔をして、私の方を見た。

「おい、ソックス、半年も一緒に暮らしたのに忘れたのか？」

と言ってから、星くんは不意に、

「あっち向いてホイ！」とソックスの顔の前で指を上に向けた。

ソックスがつられて上を見ると、星くんは目を輝かせて私を振り返り、

「見た？　ソックスに勝ったよ！」

と子どもみたいに勝ち誇《ほこ》っている。

それを見て、ソックスがシッポを振りはじめた。

「思い出してくれたみたいだよ」と星くんはソックスの背中をなでる。

「久しぶりだなあ」

星くんは名残惜《なごりお》しそうに終電の時間までうちにいて、会わなかった五年の間にあっ

たことをいろいろ話した。ソックスと一緒に星くんを送っていくとき、星くんがそっと左手を伸ばして、リードを持つ私の手を包むように握った。

函館《はこだて》駅の待合室で、

「これからは、連絡が取れないことだけはないようにしようね」

星くんはそう言って、携帯番号、メアド、実家の電話番号、ファックス、PCのアドレスと、ノートの切れ端《はし》に個人情報をいっぱい書いて渡してくれた。私は笑って、同じ量の情報を紙袋の切れ端に書いた。

そうして、私と星くんはつきあいはじめた。

星くんは札幌《さっぽろ》でのギター講師の仕事のほかに、地方回りも多く、そう頻繁《ひんぱん》には会えなかったけれど、毎日のように長電話をした。電話を切ったあと何を話していたのか覚えていないほど話す内容はささいなことなのに、それでも話は尽《つ》きなかった。子どもの頃は、よく星くんを「絶望的に素直だねー」と茶化《ちゃか》したけれど、今はそういうところも魅力に感じる。心のきれいな人だなあと、感心することが多く、

「会うたびに惚《ほ》れ直すんだ。あんなピュアな人いないよ」

と私は侑子《ゆうこ》にのろけた。

「最初の男としてはよさそうだよね」

「あのね。私はそういう段階学習はしたくないの」

「あかりもタビの名前、進に変えてみたら？」と言うので、

「二郎は二郎のままなの？」と聞いたら、

「それがさ、聞いてよ！」と侑子《ゆうこ》の長い恋愛話がはじまってしまった。


星くんが着実に仕事をしているので、私は自分がどういう職業に就《つ》きたいのかわからないことにいくらか不安になっていた。就職情報誌を見ても、どの会社に入るかで人生のかなりの部分を選択することになるなぁと、ちょっと怖《こわ》い気もしていた。侑子は、「私はアパレル一筋《ひとすじ》だよ」と迷いがない。アートやファッションが好きで、ニューヨークの情報を得るために英語の勉強をはじめたくらいだから、私よりずっとしっかりしている。英語のサイトをプリントアウトして、電子辞書を引きながら一生懸命音読してるし、最近は英語で寝言《ねごと》を言うようにまでなった。「英語ネイティブの彼氏を作れば、一挙両得《いっきょりょうとく》なんだけどな」と口にするようになり、犬の二郎はそのうちポールかマイケルになりそうだ。私には侑子のように英語を勉強してまで手に入れたい情報というものがないから、父に語学だけやっておけばいいと言われていた、その語

学にさえ真剣になれない。

そんな私の進むべき道が、ソックスと一緒にテレビを見ているとき、突然見えた。動物園を紹介するローカルニュースを何の気なしに見ていて、気にかかることばに出会ったのだ。番組の中で、動物園の意義を問われた飼育員が、

「人を知ろうと思ったら、まず動物を知ることです。もしも、この世の中に動物がいなかったら、私たちは自分を知る手がかりさえつかめなかったでしょう」

そう答えているのを聞いて、なるほどと思った。

単純な私はこの一言《ひとこと》で、目指すべき進路が見えたような気がした。私の興味があるのは、サービス業でも情報産業でも先端技術でもファッションでもなく、生き物を相手にすることなのだと気がついたのだ。就職活動を目前にして遅いけれど、あれこれ調べた末、受験し直して獣医学部を目指そうと思い立った。

朋《とも》さんにも意見を聞いてみた。

「突然なんだけど、獣医になりたくなってさ。朋さんはどう思う？」

「あはは、そう来たか。相談っていうから、何かと思った。賛成！　私のかわりに獣医になってよ」

「そうだね。昔、朋《とも》さんと動物園に一緒に行ったとき、本当は獣医になりたかったたって言ってたよね」

「うん。おとうさんが人間を担当して、娘が動物を診《み》れば、斉藤医院はある意味、大学病院より幅広いよ」

と笑った。侑子《ゆうこ》に相談すると、

「バカだねー。そういうことは高校生のときに思いつきなよ」

「そうなんだけどさ。やっぱり二年の遠回りは大きいかな」

「落ちたら、普通の就職はもうできなくなるよね」

「うん……」

せっかく朋さんと盛り上がったのに、侑子は厳《きび》しかった。星くんが中学生の頃、才能が足りなかったらあと戻りできないと悩んでいたことをまた思い出した。

「いい。受かるまで受ける」

「それでも受からなかったら？」

「………」

弱気になって父に相談すると、

「なるほど。それは俺も思いつかなかったな。いいんじゃないか」

「もし受からなかったら、どうしよう」

「いつ地震が来るかわからない。いつ病気になるかわからない。そんなこと心配してもしょうがないだろ」

星くんは一言《ひとこと》、

「ふうん。いいね。ぴったりだと思うよ」

と賛成してくれて、まあ不安は大きいものの、私は獣医学部を目指して勉強をはじめた。


短大の卒業式の朝、近所の美容院で袴《はかま》の着付けをしてもらった。家に戻ると、父はキッチンで納豆を食べている。

「どお?」と父の前に立った。

「あ」

父がめずらしく動揺《どうよう》した顔をし、箸《はし》を止めた。

「わかった?」

父がうなずく。

「おかあさんの晴れ着だよ」

「ああ」

父はそうつぶやいて、納豆の糸を引く箸《はし》を止めたまま、私をじっと見ていた。いや、多分私ではなく、記憶の中の母を見ているのだ。悪いことをしてしまったかもしれない。私は母には似ていないのだ。

「卒業式に行ってくるね」

私がソックスのエサを持って庭に出るまで、父はずっと箸を動かさなかった。

庭に出たとき、ちょうど朋《とも》さんが出勤してきたので、

「どお？　変じゃない？」

と、ソックスの皿を持ったまま、朋さんの前に立った。そのとき、ソックスは私がめずらしい服を着ているから興奮《こうふん》したのか、いきなり私に飛びついてきた。「ワッ」と避《よ》けたけれど、皿の中身は飛びちり、ソックスの前足が私のおなかに当たってしまった。着物に泥《どろ》がべったりとついて呆然《ぼうぜん》としている私に、ソックスはまた駆《か》け寄ってくる。私は思わずソックスを突き飛ばした。ソックスはよろめきながら退《しりぞ》いて、ショックを受けたような顔で私を見た。朋さんがハンカチを濡《ぬ》らして、着物の汚れをふいたり叩《たた》いたりしてくれたけど、その汚れは濃くくっきりと残ってしまった。

「もう〜。泣きそうだよ」

「クリーニング屋さんに行ってみる？」と朋さん。

「もう時間ない」

「バッグで隠せばわからないよ」

卒業式の間中、ずっとバッグを持っているわけにはいかないじゃないか。よろよろと出かけようとする私に、朋さんが「後ろから見ればわからないよ」と慰《なぐさ》めるのにもムカついた。


「そりゃあ怒るわ」

卒業式で一緒になった侑子《ゆうこ》は同情してくれた。式の間も謝恩会のパーティでも、汚れを隠そうと不自然な動きをずっと強《し》いられて、私はソックスに対して腹が立ち通しだった。しかも、これは母の形見なのだ。汚れが落ちなかったらどうしようとイライラしていた。侑子が生ビールを片手に私のそばに来て、空《あ》いてる方の手ですっと汚れを隠し、

「しばらくこうしててあげるから、心置きなく社交したほうがいいよ」

と真面目《まじめ》な顔をして言った。

「マジ？　私が移動する先に、ついてきてくれるの？」

「もちろん。どこへでも」

「それも変だよ」

「汚れより目立つか」と笑った。

「ね、見て」と侑子《ゆうこ》が視線を会場の外のテラスに向けた。そこには小さな角帽《かくぼう》をかぶった二郎が、スーツの青年に連れられている。角帽をかぶると、ムクムクの間抜けな顔がなおさら際立《きわだ》ち、私は思わず吹き出した。

「二郎かわいいねー。あれ、誰がリード持ってるの?」

「二郎」いたずらっぽい笑いを浮かべて侑子が言った。

「そうなんだ。へえ」

「紹介するよ」

「着物が汚れてるからいいよ」

ビジョンフリーゼの二郎は、とぼけた顔で静かにたたずんで、その場を楽しんでいるようにさえ見える。

「二郎はおとなしくていいね」

「うん、厳《きび》しく躾《しつ》けてるからね」

「私、ソックスの躾けに失敗したのかなあ」

「ソックスは素直でいい子じゃない」

「でも、家にあげるとすぐベッドに乗ろうとするし」

「星くんが⁉」

「ソックスだってば」

「なんだ。アハハ」

「散歩は私じゃないとダメだし」

「そういうところがかわいいんじゃない」

「でも、ソックスがいるから旅行に行けない」

「星くんに旅行に誘われたの？」

「あたり。東京でレコーディングするんだって。でも、ちょうどおとうさんが学会で留守だったから行けなかった。ソックスがいるからね」

「それで機嫌《きげん》悪いのか。あかりは」

「犬を飼ってると、生活が狭くなる気がする」

ときどき感じてたことを、つい言いつのってしまう。

「それなら家族だって同じじゃない」

「家族ならことばが通じるけど……」

侑子《ゆうこ》が肩をすくめ、「まあね」と角帽の二郎を見て、クスリと笑った。

家に帰ると、ソックスが廊下を走って来て、玄関先でシッポをぶんぶん振りながら私を出迎えた。まだ怒りがおさまらなくて無視すると、ソックスは「え？」と驚いたように私を見た。反省のないその態度に、私はまたイライラさせられる。

「どうして家にあがってるの？」

ソックスは私がどうして怒っているのかわからない様子。リビングルームから父が出て来て、

「ソックスが元気なかったから家に入れたんだよ」とソックスのかわりに釈明《しゃくめい》した。

「あまやかさないでよ」

ソックスに、「ハウス！」と指図して小屋まで連れていき、首輪を鎖に繋《つな》げた。

「どうした。ソックスと何かあったのか」

「これ見てよ」と着物の汚れを見せる。

「それくらいでカリカリするな」

「それくらいって！」

今までソックスの世話もろくにしたことないのに、急に保護者面《づら》しないでよ、と父

にまでムカつきながら、私は二階に上がった。眠る前に携帯電話を見ると、星くんから着信が入っている。電話をすると、

「別に用はなかったんだけど。卒業おめでとう！」

「ありがと。久しぶりだね」

「昨日電話したよ」

「十五時間は久しぶりだよ」

人には聞かせられないよな、と思いながらバカなカップルの会話をした。

生まれてから真剣に机に向かったことなど一度もなかったけれど、獣医になりたいと思ってからは勉強にも力が入った。図書館に通って、英語や生物のテキストを読み、北海道の北から順番に、獣医学部のある大学のキャンパスを月に二度も下見に行き、休日は動物園の売店でアルバイトをした。

採用担当者の許可をもらい、動物園開園の二時間前から、飼育員や獣医の人たちの仕事を見学させてもらうことにした。そのうち、掃除や園内の飾りつけ、それぞれの動物の生態を解説するポスターに色を塗る作業など、すこしずつ手伝わせてもらえるようになった。カバや北極熊に薬やサプリメントを飲ませるため、エサのだんごを作ったり、ホッケの背骨に薬を混ぜ込む作業も手伝った。動物の顔を毎日見ていると気持ちも移り、顔なじみのキリンが病気で寝込んだときは心配で気もそぞろになって、売店を何度も抜け出しては様子を見に行った。私にだけでなく、女性飼育員や獣医に対して決まって態度の悪いチンパンジーは、雌雄《しゆう》を問わず女性差別主義者であることを肌で知った。ゴマアザラシがなんだか太ってきたので、「太った？」と聞いてみると、傷ついたような顔をしたと思ったのに、何日かしたら出産した。

これほど楽しく濃密な日々を過ごしたのははじめてで、次々と自分でメニューを増やし、時間が空《あ》くと落ち着かなかった。ある日、動物園の事務室で資料作りをしていて終電に乗り遅れたとき、これではまるで父と同じじゃないか、とふと気づいた。子どもの頃は、私がひとりぼっちで家にいることを知っているのに、どうして大学の研究室から早く帰ってこないのだろうと不思議だったし、どうせ私よりも仕事が大事なんだよとすねたりしたものだったけれど、自分にも父の血が流れていることをはじめて自覚した。家族を思っていても、仕事に熱中してしまうと、いろんなことが飛んでいってしまう。そんなことを考えていたら、この間出かける前に、朋《とも》さんに呼び止められ、

「最近、ソックスが食欲ないんだよね。さびしいんじゃないかな。散歩もこのところ斉藤先生が連れてってるけど、毎日ってわけにいかないし」

と言われたことを思い出した。そのことばは棘《とげ》のように残っていたけれど、そのとき、ソックスの存在が私の中で小さくなっていたことは否定できない。子どもの頃、毎日家でひとり留守番していた私には、ソックスがすべてだったのに。

あれ？　私は自分が忙しくなったから、ソックスのことを忘れてしまっているのだろうか？　あの頃の父よりも、もっときれいに忘れてしまっているのかもしれない、

他の動物に熱中しているときは……。

それなのに、星くんとはお互いに時間を捻出《ねんしゅつ》して、月に一度はかならず会っていた。いつも札幌《さっぽろ》か函館《はこだて》のどちらかで会っていたが、一度だけ、札幌と函館の中間地点で会おうということになり、「昆布《こんぶ》」という不思議な名前の駅で降りた。改札を抜けると、星くんがギターケースを脇に置いて、古びた駅舎のベンチでうとうとと居眠りをしていた。泊まった温泉宿は、全体に斜めに傾《かし》いでいるようなおそろしく古い建物だった。露天風呂から真っ白い湯気《ゆげ》が青空に向けて立ちのぼってゆくのを、星くんは、「気持ちいいね」と言いながらうっとりと見ていた。朝ごはんに出た卵を、星くんは手に取り、そっと畳の上に置いた。「何してるの？」と不思議に思って聞いたら、「この建物が傾いているかどうかがわかるかなと思って」と言って、卵から指を離した。卵は畳の上をゆっくりと動き、部屋の端まで転がって敷居《しきい》の上で止まった。その瞬間、星くんと私は顔を見合わせて笑い転げた。

どこで待ち合わせしても、星くんは遅れないどころか、かならず私より先に着いていた。たまには私が先を越そうと二十分も前に行ってみたら、星くんはすでに到着していて、「いったい、いつからそこにいるの？」と詰問すると、星くんは楽しそうに笑って、「昨日から。夜行電車に乗ってみたかったんだ」と答えた。

それだけに、札幌の動物園で待ち合わせして、十五分待っても、三十分経《た》っても星くんが現れなかったときは、まったく予想していなかったのでおろおろした。携帯を何度も鳴らし、メールも入れているのだけれど返事がない。すっぽかすような人ではないし、星くんに何かあったとしか思えない。私も中学生の頃、空港に見送りに行くと固く約束したのに、守れなかったことがあった。きっと星くんにもやむを得ない何かが起こったに違いない。一時間半待ったけれど、結局星くんは来なかった。腕時計、大時計、携帯の時計を合わせると二百回は見た。生まれてからこんなに時計を見たことはない。

夜の海が静かに月光を浮かべている。不安定に揺《ゆ》れる感情をもてあましながら防波《ぼうは》堤《てい》沿いの道を歩いていると、防波堤に並んで腰かけている父とソックスが見えた。父は診《み》ていた患者さんが亡《な》くなると、いつも防波堤で缶ビールを飲みながら追悼《ついとう》する。今日もそうなのかなと思ってすこし迷ったけれど、私もその夜はさびしくて、つい声をかけた。

「おとうさん」

「おう。お帰り」父は缶ビールを片手に振り返った。

「今日、誰か亡《な》くなったの？」

「いやいや。そんなときばかりここで晩酌《ばんしゃく》するわけじゃないさ。おかあさんともよくここでビールを飲んだんだよ」

「知らなかった」

「赤ん坊のあかりを抱きながら、三人で海を見たの、覚えてないか？」

「覚えてないし、初耳だよ」

小学生のころ防波堤《ぼうはてい》に腰かけ、母と毎日のように夕陽を見た。母が亡くなってからは、星くんやソックスと並んで座った……。

「あかりも飲むか？　ビールまだあるよ」

父のかたわらに缶ビールがあと二本置いてある。ちょっと迷った。

「昔は俺が仕事中毒で、あかりとソックスをいつも置き去りにしてたけど、最近は逆になったよな」

父が独《ひと》り言《ごと》のようにそう言うので、すこし依怙地《いこじ》な気持ちが頭をもたげた。

「勉強があるから、ビールはいいや」

「そうか」と父はまた缶ビールを傾けた。

急いで部屋に戻って、パソコンのメールをチェックしたいという気持ちも強かった。もしかしたら、星くんが携帯電話を失《な》くしてしまい、私の携帯番号もメアドもわからなくなって、パソコンにメールを入れているのではないかと思ったのだ。ところがパソコンにも連絡は来ていなかった。

勉強も手につかず、星くんに教えてもらっていた自宅の電話番号をはじめて押した。呼び出し音が鳴る間、子どもの頃みたいに緊張する。

「はい、『星ギター教室』です」と星くんの母親が出た。

「斉藤です」

「ああ」露骨《ろこつ》に尖《とが》った声だった。

「進さんはいらっしゃいますか。すみません。携帯で連絡が取れなくて」

「……進はしばらくの間、あるところで特別な練習をしています。今、それに集中しているから、雑事はぜんぶあと回しになっているみたいなの。ごめんなさいね。気持ちに余裕ができたら進の方から電話すると思うから、それまでは連絡は控《ひか》えてくださる？」

星くんの母親は慇懃《いんぎん》にそう言った。

「……はい」

納得《なっとく》がいかなかった。特別な練習をはじめるのだったら、星くんは前もって私に言うはずだと信じている。ただ、星くんは不思議なところ、変わったところがある人だから、ひょっとすると練習をはじめてみて、それにとりつかれたようになって我を忘れるということはあるかもしれないなと思った。

それから、一週間経《た》っても星くんからは何の連絡もなかった。何度携帯に電話をかけても、何通メールを出しても、まったくの無反応。星くんのおかあさんのことばが信じられる日もあったし、過保護が高じて、また私から星くんを引き離そうとしているのではないかと疑いをぬぐえない日もあった。もしかして、美しい女の子がきらきらと輝く目で星くんに求愛し、無垢《むく》な星くんは一瞬にしてその女の子の魅力にさらわれてしまったのではないかと想像してしまう瞬間さえあった。

そうしているうちに、二週間が過ぎた。

アルバイトでもお釣りを間違えたり、駅を乗り過ごして遅刻したりと失敗が重なった。図書館にいても気持ちがばらばらで、勉強してもほとんど頭に入らない。昼どきに図書館の表のベンチでぼんやりとしていると、いつの間にか隣に侑子《ゆうこ》が座っていた。

「やっと気づいた。けっこう前からいたのに」

「ほんとに？　声かけてくれればよかったのに。全然気がつかなかった」

「どうした？　最近元気ないよ」

「星くんから連絡がないんだ」

「またツアーなの？」

「違うみたい。実家に電話してみたらおかあさんが出て、そちらからは連絡しないでほしいって言われただけで、よくわからないの」

「何それ？　頭来るね。私が聞いてこようか。そのババアしめてきてやるよ」

「やめて、やめて。余計ややこしくなるよ」

「私だったら、家まで押しかけるけどね」

「そうだよね……」

札幌《さっぽろ》の『星ギター教室』まで行って、確かめるべきなのだろうか……。

決断できないまま、日にちはどんどん過ぎていく。勉強もアルバイトもうまくいかないことばかりで、なおさら重い足どりで家に帰る日が続いた。はじめのうちは私が帰宅すると、ソックスが飛び跳《は》ねながら寄ってきていたけれど、遊んであげる気も起こらなかった。

「そんなに吠《ほ》えると近所迷惑だよ」とか「服を汚さないでよ」とか、ついソックスにあたってしまう。ソックスがくぅんくぅんと鳴く声が背中越しに聞こえるけれど、星くんのことでいっぱいになっていた私は、ソックスとコミュニケーションする心の余裕がなかった。

料理をしていると、すこしだけ気持ちが晴れるということがわかり、必要以上に料理をした。冷蔵庫も冷凍庫も、私が作った食べきれないほどの大量の料理で一杯になっていた。その日も、勉強もしないで、きんぴらゴボウとゴボウの炊《た》き込みご飯とゴボウのごま和《あ》えと煮つけとピクルスを作ろうと、ひたすらゴボウの下ごしらえをしていた。

診療《しんりょう》途中の父がめずらしく白衣のまま台所に現れ、洗面器一杯分のゴボウのささがきを見て、

「あのな……」と困ったような声を出した。

「ん？」

ゴボウをささがきにし続けながら、気のない返事をする。

「……星くんと最近会ったか？」

今、いちばんされたくない質問だった。

「それがゴボウと何か関係があるの？　余計な質問しないでよ」と父の方を向きもせず淡々と答えた。

「いや……」父がことばを選んでいる。

「元の上司が星くんを診察したんだよ」

私は手を止めて、父を振り返った。

「えっ診察って……」

「星くんのことで、相談の電話をもらったんだよ。事故のことは聞いてないのか？」

「事故⁉」

動悸《どうき》がして息が苦しくなってくる。

「知らなかったのか……」

父が切なそうに私を見るので、次のことばが怖《こわ》くなった。

「星くん、軽い交通事故にあってね」

「…………」

「外科的には完治したんだけど……」

だけど、何？　と聞きたいのに、ことばが喉《のど》に貼《は》りついて出てこない。

「指の運動機能が回復していないらしい。退院して、今は自宅で療養《りようよう》しているそうだ。そうか、知らなかったのか……」

どうすればいいかわからないけど、とにかく札幌《さつぽろ》に行くしかないと思った。

「……おとうさん」

「ん？」

「このゴボウ、続きやって、冷凍しておいてくれる？」

そして、五分後にはもう家を飛び出していた。

広い道の向こうの空が薔薇《ばら》色に輝いていた。ポプラの大樹が逆光でシルエットになるあたりから、子どもたちがはしゃぐ声とギターの音が流れてくる。それをたどってゆくと、『星ギター教室』の場所はすぐにわかった。

大きなドアの前で、呼び鈴を押すのをためらった。「ここにはいません」と門前払いをくらいそうな気がした。ぐずぐずとためらう私の脇をすり抜けて、ギターを抱《かか》えた子どもたちが騒ぎ立てながらドアを開け、次々と中へ入っていった。ギターケースを背負う男の子の背中に引き寄せられるように、私も中に入った。あちこちからギターの音色《ねいろ》が聞こえてくる廊下をそっと進み、見回す。一階には練習室、事務室と教室が並んでいた。自宅は二階だろうと予想して階段を上がると、吹き抜けの奥の窓からまぶしい西日が差し込んでいた。窓から夕陽が見えると、星くんが言っていたことを思い出して、動悸をおさえられないまま、ドアのひとつをそっとノックした。すこしして、「何?」と星くんの声が聞こえてきた。もう一度ノックすると、「どうぞ」という声。思い切ってドアを押し、中に入った。

星くんは、窓際《ぎわ》のベッドに半身を起こし、窓の外で、地平線の向こうに沈んでゆく夕陽に、ぼんやりと顔を向けていた。私の方を見ようともしなかった。

「来ちゃったよ」

星くんは、私の声に、「え!?」と驚いた声をあげ、撃《う》たれたように振り返った。そして私の顔をまじまじと見てから、何も聞かずに、感情を抑《おさ》え込むようにうつむいた。

「……何度も連絡したんだよ」

星くんはうつむいたままだ。その横顔は、考えを整理しているように見える。私は何をどう言えばいいのかわからなくなってしまっていた。私たちの上を天使の行列が通りすぎ、やがて、星くんが静かに口を開いた。

「首を痛めてね……、指が前のようには動かないんだよ」

どうすればいいのかわからないけれど、星くんの助けになりたい。それだけなのだけれど、ことばが見つからない。

「リハビリしろって親たちは言うんだけど、僕にはわかる」

「………」

「何年も訓練して、やっと獲得できた動きだからね。それはリハビリしても、もう戻らない」

また沈黙が流れた。そんな投げやりなことを言わないでほしい。だけど、これ以上、傷つけたくもなく、とてもそんなことは言えなかった。

「……しばらくギターのことは忘れない？　私、何でもつきあうよ。気晴らしをしようよ」

「ごめん。今は、そんな気分になれないよ」

星くんはうつむいたまま、そう言った。

「どうしていいかわからないんだよ。物心ついてから、ギターしかしてこなかったんだから」

「………」

「ごめんね。ひとりにしてくれる？」

私はいたたまれなくなるまで部屋にいて、それから、あとずさりするようにそっと部屋を出た。


どこをどう帰ったのか覚えていない。それから、料理をしすぎて、冷凍庫はもう隙《すき》間《ま》もなくなった。ペンギンの水槽《すいそう》のぬめり取りをしていると、沈んだ気持ちがすこしの間浮かび上がるような気がして、北極熊とゴマアザラシの水槽も志願して掃除した。

からだは疲れているのに眠れない。ベッドに横たわり、いったいどうすればいいんだろう、と顔をおおった。

「くぅん」と鳴く声が聞こえて顔を上げると、ソックスが私の横にいつのまにか来ていた。丸まって眠っているのだけれど、寝言《ねごと》のように小さく鳴いている。私がいなくてさびしいときの鳴き方だ。どんな夢を見てるのだろう？　食欲がないと朋《とも》さんが言っていたけれど、言われてみれば、ソックスは確かに痩《や》せた。それに、毛並みも乱れている。シャンプーしてあげないとな、おとうさんにはそこまでは任《まか》せられないよなと思うと、たちまちそれが負担になって、ソックスのこともしばらくは忘れたいと思ってしまう。

「お願いだから、今は私をこれ以上切なくさせないで」

夢見るソックスにそうつぶやくと、ソックスは睫毛《まつげ》の長い二重《ふたえ》の瞼《まぶた》をゆっくりと開け、私と目が合うと、ふわっと立ち上がり、私を見上げながらシッポを振りはじめた。

本当に痩《や》せたし、毛の色つやもよくない。

「年取ったね。ソックス」

そう口にした瞬間、母の記憶が甦《よみがえ》った。病室で、母がまだ子犬のソックスを顔の前に抱き、ソックスのことばだと思って聞いてねと前置きしてから言ったこと。

「私と気長につきあってくださいね。私が年を取っても仲良くしてください」

母の声で、ソックスは確かにそう言った。

10の約束。私はずっとそれを忘れていた。あのとき、ソックスが言ったこと。

「私にも心があることを忘れないで」

ここ何カ月も、私はソックスと遊ばなかっただけでなく、ソックスの顔を見ても話しかけず、立ち止まりもしなかった。

「ごめんね、ソックス」

私は起き上がり、ソックスを抱きしめた。ソックスがパタパタと振るシッポが私の脚《あし》に当たっている。久しぶりに抱くソックスはすこし小さくなっていた。

「ごめんね……」

ソックスの顔を見ると、ソックスはいつものやさしい顔で、気にしなくていいよと言っているようだった。もし、この子がうちに来ていなかったら、私は今どうなっていたのだろう。母が亡《な》くなり、首も回らないままで、いろんな悲しみが全身の関節に詰《つ》まってロボットのように硬直《こうちょく》し、思うように動けないと世界を憎《にく》んでいたかもしれない。私は、急《せ》き立てられるような気持ちでソックスに言った。

「ソックス、お願い。もう一度私を助けて」

ソックスはのんきにシッポを振り続けた。

私はソックスと飛行機に乗り、札幌《さっぽろ》に来た。丘珠《おかだま》空港から、三十分歩き続けて、『星ギター教室』に着き、ソックスと一緒にドアをそっとすりぬけた。階段を上がる前に、ガラス張りの練習室にいる子どもたちに見つかって、「犬だ、犬だ」と取り囲まれてしまった。私が口に指を当て、「静かに」の合図を送ると、子どもたちは顔を見合わせながら素直に黙ってくれた。

ソックスは相変わらず階段を上がるのは上手だった。星くんの部屋の前に立ち、トートバッグから懐《なつ》かしい写真を出して、ソックスに見せた。それは、中学生のとき、私が札幌《さっぽろ》に引っ越したあと、星くんからもらった写真で、子どもだったソックスの口からフキダシが浮かび、そこに「ひとりはからだに悪いね。また電話で話そうね」と星くんの字で書かれている。その写真をソックスはパクッとくわえた。私はリードを外《はず》し、ソックスに目配せをしてから、静かにドアをノックした。この間と同じように、「どうぞ」とぶっきらぼうな声が聞こえてくる。

私はそっとノブを回し、ドアの隙間《すきま》にソックスを導《みちび》き、軽くソックスの背中をなでた。ソックスが不安そうに振り向いたが、私がジェスチャーで「中に入って！」と合図すると、ソックスは了解という顔をして、部屋の中へと入っていった。私はドアの外に立って、祈るような気持ちで息をひそめた。

「あ」と星くんの驚く声が聞こえた。

「ソックス……」

しばらくの沈黙。写真は見てくれただろうか。私はドアの陰に隠れ、中の様子をうかがおうとするけれど、自分の鼓動《こどう》しか聞こえてこない。窓を開けているらしく、部屋の中から風が吹き抜けてくる。風に当たってすこし落ち着いた私は、その場を離れることにした。階段を忍び足で下りる途中、風に乗って星くんの声が聞こえてきた。

「あかりちゃんのさしがねか。そりゃあそうだよね」

星くんはソックスのくわえている写真を手に取ったのだろう。

「ソックスはこの頃にくらべて、ずいぶん大きくなったね」

星くんの声を聞きながら、私は一階に下りた。

星くんの両親にもわかってもらわなければと考え、気は重かったが、事務室のドアを開けた。そこには星くんのおかあさんだけでなく、おとうさんもいた。子どもの頃、一回だけ会ったことがある。星くんと防波堤《ぼうはてい》沿いの道を歩いているときにすれ違い、「おお。進のガールフレンドかな?」と笑って私に握手《あくしゅ》を求めた。「今度、我が家にも遊びにおいで。ギターならいっぱいあるから。特別に個人指導してあげよう」と機嫌《きげん》よくしゃべって、行ってしまった。星くんとはすこし感じの違う、明るい人だった記憶がある。

事務室にいた星くんのおかあさんは、みるみる嫌悪《けんお》感をあらわにしたけれども、おとうさんは微笑《ほほえ》みを顔にひろげた。

「久しぶりだね。斉藤さんだったね?」

「あの……お願いがあるんです」

「どうしました？」

「また、ソックスを預かってもらえませんか？」

「またですか」と父親は苦笑いした。

「リハビリをする気力がなかったのに、ソックスと遊んでいるうちにリハビリをはじめた患者さんがいます。私は何度もソックスに助けられました。ソックスには、セラピードッグの素質があるんだと思います」

「今はそんなことしている場合じゃないの」と母親が強い口調で言った。「ちょっとあなたね」とさらに何か言おうとするのを、星くんの父親が手で制して、

「はじめて言うことだけど」と言ってから、考えを整理するように数秒黙った。「僕は本当は、進を留学させたほうがいいのか迷ったんだよ。ギターだけの人生でいいのかってね。それで今、進が苦しんでる。それを見るのは、自分のことのように辛《つら》いんだよ。痛いほど気持ちがわかる。僕の場合は事故にあったわけではないけど、才能が足りなかったんだ」

そう言って、星くんの父親は小さく微笑《ほほえ》んだ。母親もそのことばを聞くうちに冷静になったらしく、腕を組んでうつむいている。

「以前ソックスを預かることにしたのは、進のギタリストとしての、感情表現のプラ

スになると思ったからだけど、今回は違う。進はあのとき、ソックスをほんとにかわいがっていたからね。ソックスを預けてくれるということは、今の進には願ってもないことだ。ありがとう」

このときには、星くんの母親も黙ってうなずいていた。

玄関のドアを開けたときに、背後から私を包むようにまた風が吹き抜けていった。星くんの部屋の窓から流れてくるのだろう。「頼んだよ、ソックス」と私はつぶやき、ドアを閉めようとしたが、風に乗って聞こえてくるギターの音に私は動きを止めた。一階から聞こえてくるそれとは違う、くっきりとした音が風に乗って確かに流れている。それは今までに何度も聴いた、星くんが調弦《ちょうげん》するときの音だと思った。私は家の中へ引き返し、吹き抜けの下に立って全身を耳にした。

私は子どもたちのギターの音に包まれて、その場所にたたずんでいた。すると、艶《つや》のある音色《ねいろ》がまた私の耳に飛び込んできた。音に集中すると、すぐ別の高さの音が続き、複数の音が重なりながら、二階から風に乗って私の耳に届く。そして、それは私の頭の中で突然、旋律《せんりつ》として結ばれた。

ギターの音色を乗せた風を顔に感じつつ、私はドキドキしながら階段を上がった。

ドアの前に立つと、中からはじめて聴く星くんの歌声が聞こえてくる。

「あなたが道に迷ったら《if you're lost》、見回して《you can look》／《and》そこには私がいるから《you will find me》／いつだって《time after time》」

「♪タイム・アフター・タイム」

私も思わず口ずさんでいた。私は壁にもたれ、両手で顔をおおった。流すことのできない涙のかわりに歌詞が口をついて流れ出した。ドアを挟《はさ》んで、私と星くんの声が重なる。

ふと、ギターの音が止まったと思うとドアが開いて、私は星くんと向かい合っていた。二人とも、ことばもないままに抱き合った。ソックスも寄ってきてうれしそうに私たちの足元を回り、ぶんぶんと振るシッポが何度も脚《あし》に当たった。


星くんの両親に「やっぱりソックスを連れて帰ります」と言うと、星くんの母親は涙をぬぐいながら、「歌もいいものね」と言った。『タイム・アフター・タイム』は風に乗り、事務室にいた二人にも届いていたのだ。それから、星くんとソックスと、空港までの道を歩いた。

「ありがとね、あかりちゃん」

「ううん。私は何もしてないよ」

「僕も、道に迷ってたんだね。ソックスがあくびをしてくれてよかった」

「あくび？」

「うん。僕のベッドの横に丸まって、つまらなそうに何回もあくびするから、じゃあ、ソックスの好きだった曲を弾《ひ》こうかって、久しぶりにギターを手に取ったんだよ。はじめて歌ったけど、いい歌だね。百回も聴いたのに、歌っちゃいけないものだとずっと思っていたから」

と星くんは歌うように言った。


函館《はこだて》に戻り、海沿いの道を歩いていると、父が防波堤《ぼうはてい》でひとり、缶ビールを飲んでいるのが見えた。

「おとうさん」

父は振り返って微笑《ほほえ》むと、

「あかりも飲むか？」と聞いた。

今日は私も飲みたい気分だった。ソックスを挟《はさ》んで、三人で防波堤に腰かけた。ビールを飲み、炭酸の泡と一緒に心地よい酔いが回った。私と父とソックスの影が長く砂浜の上へ伸びている。ふと気にかかって、父に聞いてみた。

「誰かが亡《な》くなったの？」

「コンビニの店長、覚えてるか？」

「覚えてるよ。え？　店長が？」

父がうなずいた。

「そう……」

札幌《さっぽろ》へ引っ越す前、ソックスを預かってほしいとお願いしたとき、「犬の場合は出

会いイコール運命なんだよ」と店長は私に言った。

「ソックスのおかあさんやきょうだいたちはどうしてるんだろう」

「母犬はずいぶん前に死んだそうだ。店長はソックスのきょうだいたちを友だちや親《しん》戚《せき》に預けてから、入院したんだよ」

「そうなんだ……最近は私が料理するようになったけど、昔はコンビニによくお世話になったよね」

「ああ。おかあさんの葬式《そうしき》の帰りにも、おにぎりを買ったっけな」

もし、母がコンビニ好きでなかったら、今ここにソックスはいない。もし、ソックスと出会わなかったら、私の人生も今とは違うものになっていた……。

第5章

星くんは音楽大学の作曲科に入る決意をして、勉強をはじめた。「ギターのための名曲を書きたいんだ」と張り切っていて、「歌えるものも作曲するから一緒に歌おうよ」と、試験勉強中なのに星くんらしく余裕綽《しやくしやく》々だった。

ソックスは、私が毎日散歩をし、エサをあげるようになってからは体重も戻って、毛並みもよくなり、すっかり若返った。私が冷たくしただけで、あんなに痩《や》せてやつれてしまったのかと想うと胸が痛んだ。

私は、北は帯広《おびひろ》から南は山口まで、獣医学部を五つ受けたが、合格したのは山口の大学だけだった。北海道以外で暮らしたこともなく、ひとり暮らしもはじめてなので、楽しみと不安が半分半分。そして、札幌《さつぽろ》以来八年ぶりでソックスと離《はな》ればなれになるのが気がかりだった。私の気持ちが離れていたとき、ソックスはあんなにやつれてしまったのに、今度は千五百キロも離れて暮らすことになるなんて……。

出発の日、空港には父とソックス、朋《とも》さんのほかに二郎を連れた侑子《ゆうこ》も来てくれた。

「ソックスも重孝くらい小さかったら一緒に暮らせるのにね」

「名前、重孝に戻ったの？」

「言ってなかったっけ？」と侑子は笑った。

「山口で落ち着いたら一軒家を探してみようと思って」

「タビを呼ぶの？」

「そう」

「ソックスに魔法をかけて小さくしてあげたい。ポケットに入るくらいに」と朋さんが言った。

そんな会話を聞いて、父が肩をすくめソックスの背中をなでた。札幌時代を思い出したのかもしれないし、ソックスの体力を気にしたのかもしれなかった。散歩しているとわかるが、ソックスの体力は確かに落ちていた。

搭乗口に入るとき、私は何度も振り返った。ソックスは子犬の頃のようには吠《ほ》えなかったけれど、ただ「くぅんくぅん」といつもの声をあげ、シッポを悲しげに垂《た》らし、睫毛《まつげ》の長い二重《ふたえ》の黒い瞳で、私の背中をじっと見つめていた。

大学の授業は予想していた以上に大変で、一軒家を探すどころか、帰省することもままならなかった。しかも、山口でのひとり暮らしはとてもさびしく、夜になると星くんや侑子《ゆうこ》や朋《とも》さん、とにかく誰かと話していたくて電話をかけまくった。朋さんには、週に何枚もソックスの写メールを送ってもらっていた。最近はどれも眠っているものばかりなので、

「たまには起きてるのも送ってよ」と頼むと、

「寝顔かわいいからいいじゃない。……でもね、実際、生活のペースが私とソックスって逆なんじゃないかなあ。私が休憩《きゅうけい》のときに見に行くと、ソックス、いっつも眠ってるんだよね」と笑う。

「ソックス、寝言《ねごと》は言ってない？」

「うん。幸せそうな顔して寝てるよ。写メの通りだよ」

写真のソックスは、確かにどれも笑っているのではないかと思うくらいおだやかだった。私の気持ちがソックスから離《はな》れていた時期、ソックスは寝言でも、「くぅんくぅん」とさびしいときの鳴き方をしていた。夢の中でまで、私はソックスに冷たくしていたんだろうと思うと、改めて心が痛んだ。そばにいられないのならせめてもと、送ってもらった写真を部屋中に飾った。

電話を切ると、シーンとして殺風景《さっぷうけい》な部屋にひとりぼっちで、泣きたい気持ちになる。勉強しようと机に向かうとさびしさが増すようで、テレビをつけた。テレビがつまらないとイライラし、だけどテレビを消すとさびしくなるのだ。

私はまた、料理をすることで気分をまぎらわすようになった。毎日、翌日に食べるぶんの食事を、深夜、誰も電話に出てくれなくなる時間に作りはじめる。料理の手順に集中すると、心が落ち着いた。課題があるときは、翌朝、机に向かった。函館《はこだて》にはお正月にすこし戻れただけで、ほぼ毎日、そんな風にさびしさをやりすごしながら、一年目は過ぎていった。

二年生になって間もないころ、大学の休み時間に星くんからメールが届いた。

「今日は何の日だかわかる？　あかりちゃんと僕がはじめて話した日から十年経《た》ったんだよ。ソックスと会ったのも同じ日。覚えてる？　今日は僕たちの十周年記念日だよ」と書かれていた。中学校の音楽室で話してから、そうか、もう十年も経ったんだ。それを覚えているなんて、星くんらしいのからしくないのか、いずれにせよ愛を感じて顔がにやける。さらに、「はじめて作曲したギター曲だよ。あかりちゃんとソックスに捧《ささ》げます」とファイルが添付《てんぷ》されていた。開くと、静かでキラキラして胸にしみいる、星くんらしい旋律《せんりつ》が流れてくる。何度も再生しているうちに、何かが胸をよぎった。なぜだか胸騒ぎがする。星くんの曲のせいだろうか？　メッセージをもう一度読み直してみて、私の心が波立った理由がわかった。母のことばが甦《よみがえ》る。

「私は十年くらいしか生きられません。だからできるだけ私と一緒にいてね」

これも、10の約束のひとつだった。ソックスが最近寝てばかりいると言われていたことが急に気になってしまい、仕事中は出られないとわかっているのに朋《とも》さんや父の携帯に何度も電話をかけた。

父から電話がかかってきたのは、夜だった。

「どうしたんだ？　留守電が五つも入ってたんで驚いたよ」と父はおだやかな声を出すので、不安な気持ちがすこしゆるんだ。

「……ソックスは元気？　だよね」

「朋さんから聞いてないか」

「え？　何？」

「最近は本当に眠ってばかりなんだよ」

「そんなに具合が悪いの……」声が震《ふる》えてしまう。

「起きれば、いつものソックスなんだよ。ただ起きている時間がだんだん短くなっている」

父が医者らしい冷静な物言いをする。それが私の不安をかきたてた。

「ソックスの声を聞かせて」

「わかった。ソックス、あかりから電話だよ、おい」

父がソックスを起こす声が聞こえてくる。いつものように、携帯をソックスの耳元に近づけてもらった。

「ソックス！　聞こえる!?」

ソックスが元気に吠《ほ》える声が聞こえてきた。私を見て駆《か》け寄ってきて、勢い余って私にぶつかっていたソックス。帰宅した私を見て、リードが切れるほどの勢いで跳《は》ねるソックス。そういうときのソックスと同じ吠え方をしているから、不安の塊《かたまり》が消えていく。

「元気そうだね、ソックス！　夏休みには帰るからね！」

ソックスが、「ワン！」といい返事をするので安心して、「じゃあ、おとうさんによろしくね」と電話を切ってしまった。

父から聞いたのか、その日以来、朋さんは毎日、ソックスが起きているときの写メールを送ってきてくれるようになった。忙しい朋さんがシャッターチャンスを狙《ねら》えるくらいだから、ソックスの起きている時間はまだそれなりに長いのだろう。毎日眠る前に、朋《とも》さんから送られてくるソックスの写メールを見てから電気を消した。

試験勉強と実習に追われていちばん忙しいときに、佑子《ゆうこ》が遊びに来た。

「今、山口の空港にいるんだけどさ、どこに行けばいい？」といきなり電話してきたのだ。前もって連絡してから来てよと文句を言うと、

「あかりがさびしいさびしいって訴えるから、はるばる来てあげたんじゃない」と反論するだけでなく、私の部屋でごろごろして三日間も居すわり、冷蔵庫の中身を空《から》にして帰っていった。

試験が終わりホッとして、星くんと「また温泉に行きたいね」とのんきに話しているときに父からキャッチホンが入った。私から催促《さいそく》していないのに、父から電話がかかってくることは滅多《めった》にない。しかも、もう夜の十一時をまわっていた。ドキドキしながら星くんとの電話を切り、すぐに父と話した。

「どうかしたの？」

「ソックスが起きられなくなったんだ」

父は単刀直入に言った。

「え……」

「あかり、明日戻れるか？」

「ソックスはもう、そんな状態なの？」

「なんともいえない」

「わかった。始発で帰る」

「何かあったら連絡するから」

「そんなこと言わないで。なんとかしてよ、おとうさん名医なんでしょ？」

「あかりに会うのが、ソックスの免疫《めんえき》力をいちばん高めてくれると思う」

父は静かにそう言った。

朝まで一睡もできずに、一晩中狭い部屋の中を歩き回った。暗いうちから部屋を出て、空港に向かって急ぐ。どこからか朝日が昇っているらしく、函館《はこだて》よりもずっと海に近いところに湧《わ》きあがった大きな雲が、まぶしく琥珀《こはく》色に輝いている。乗り継ぎの羽田空港で一時間以上待たされて、気が変になりそうなほどジリジリした。結局、函館空港に着いたのは正午で、タクシーに飛び乗った。

家に着くと、「本日、臨時休診いたします」と貼《は》り紙がされていた。ダイニングに駆《か》け込むと、父がキッチンの椅子《いす》に座っていた。

「ソックスは⁉」

「ここだよ」と父が立ち上がり、リビングのソファの前に近づいた。

白いシーツが敷かれ、その上にソックスは横たわっていた。

「え？」

まさかと思って、ソックスの顔に耳を近づける。ソックスは静かに寝息を立てていた。

「順番でそばにいてあげよう」と父は言って、またキッチンの椅子に座った。

私もどうしてあげることもできず、リビングにかすかに聞こえるソックスの寝息に耳をすまし、ただソックスの寝顔を見つめていた。夜になると、私がお湯を沸《わ》かしてお茶をいれ、父と二人で向かい合って静かにすすった。

「あかりはこれ、知ってるか？」父は一枚の紙を、私の前に置いた。

そこには「犬との10の約束(犬との十戒《じっかい》)」と書かれていた。もちろん知っている。もう、すべてを思い出すことはできないけれど。

「おかあさんが書いたの？」

「コンビニの店長がくれたんだよ。ソックスのきょうだいたちを人に預けたときに、これを一緒に渡したと言って、おとうさんにも一枚くれた」

母もソックスを引き取ったときに、店長からこの「約束」を教わったのだとわかった。私は、その約束を長い間忘れていた。守れていたのかどうか、読むのが怖《こわ》いけれども、目は紙の上の文字を追っていた。

1 私と気長につきあってください。
2 私を信じてください。それだけで私は幸せです。
3 私にも心があることを忘れないでください。
4 言うことをきかないときは理由があります。
5 私にたくさん話しかけてください。人のことばは話せないけど、わかっています。
6 私をたたかないで。本気になったら私の方が強いことを忘れないで。
7 私が年を取っても仲良くしてください。
8 私は十年くらいしか生きられません。だからできるだけ私と一緒にいてください。

ここまで読んで、私は目をつむった。ソックス……。あと二つ。私は十年目の今までこのソックスとの約束を忘れたままだった。目を開けて、ソックスの顔を見ると、安らかな顔をして静かに息をしている。どんな夢を見ているのだろう。あとの二つを読むのに勇気がいった。まさか、私は重大な約束を忘れたまま、今までソックスと生きてきたのではないか？

9 あなたには学校もあるし友だちもいます。でも私にはあなたしかいません。

10 私が死ぬとき、お願いです、そばにいてください。どうか覚えていてください、私がずっとあなたを愛していたことを。

私は紙を手に持ったまま、動けなくなっていた。からだの中で何かが生まれ、それは私の頭や胸を圧迫していく。父がそっと立ち上がりソックスに近づいて、ソックスの顔を覗《のぞ》き込んだ。父は私に手招きをした。そのとき、約束が書かれた紙にポタポタと、私の目から流れ出たものが落ちた。私ははじめ、それが何か理解できなかった。テーブルにも私の手にも落ちて、それはほのかに温かかった。私はこのとき、はじめて泣くということを知った。泣き方がわからず、涙を止めることができなかった。父は、そんな私を放心したように見つめていた。

「あかり……」

私は涙を床にもポタポタと落としながら、ソックスのかたわらに近づいた。いつのまにかソックスの呼吸は荒く、不規則になっている。

「ソックス！」

ソックスは反応してくれない。

「ソックス、私、まだしゃべりたいことがいっぱいあるんだよ。十年がこんなに短いなんて思わなかった。ねえ、ソックス！」

「あかり、ソックスを困らせるな」

「話すのやめたら、ソックスがどこかに行っちゃうよ。ソックス！」

ソックスの瞼《まぶた》がすこし動いた。

「ソックス……。ソックス！」

私の涙がソックスの鼻に落ちた。すると、ソックスが薄く目を開け、すこし声をもらした。私と父は一瞬見交《みか》わし、「ソックス」とハモった。するとソックスは虹に触《ふ》れようとしたときのように、靴下をはいた前足をすこし動かし、前に差し出した。私が握ると、それに反応するようにソックスが長い睫毛《まつげ》の瞼《まぶた》をゆっくりと開いた。子犬の頃から変わらない、大きな黒い瞳で、ソックスは私と父を見つめている。

「ソックス。いつもそばにいてくれて、ありがとう」

ソックスが微笑《ほほえ》んだように見えた。何か言おうと口を動かしているようにも見えた。

「何？　ソックス。何か言って」

私の掌《てのひら》の中でソックスの足がすこし動いた。そして、ソックスは目を閉じ、息を止めた。

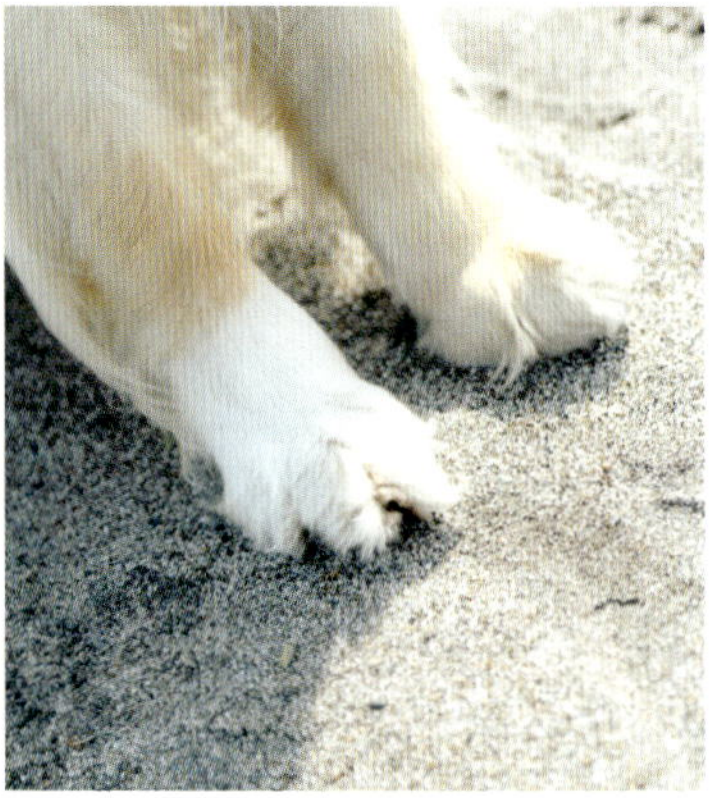

ソックスのお墓は、庭のまんなかにしようと父と決めて、白い木の札に、『斉藤ソックスここに眠る』とマジックで書いて立てた。

父と一緒にソックスの小屋を片付けた。固定しているボルトを抜き、中の物をすべて外に出した。奥の方からは、ソックスがまだ子犬だったときに父が買ってきたおもちゃ箱も出てきた。ぎっしりと詰《つ》まった中身はずいぶんと汚れていたけど、それらが何であるかはすぐにわかった。小さい頃のお気に入りだったボールやぬいぐるみを取り出すと、下には母のボーダーの靴下や化粧品、モップが隠されていた。ソックスは母の匂《にお》いのするものが好きだったから、いつのまにかいろいろな物を収集していたのだ。ひとつひとつ取り出していき、最後に手にしたのは、よれて歪《ゆが》んだ四角い紙だった。それは封筒で、よく見ると母の字で「あかりちゃんへ」とマジックで書かれているのがわかる。

私はドキドキしながら父と顔を見合わせた。封筒を開き、便箋《びんせん》に、父と顔を寄せ合って読みはじめた。

「ごめんね、あかり。
おかあさんはあかりを置いて先に逝《ゆ》きます。
ソックスが生きているうちはソックスが私のかわり。
あかりを見守ってくれるよ。
そして、ソックスも、いつかはあかりより先に逝くでしょう。
そのとき、私はいよいよ念願の風になります。
いつかあかりは私を風みたいだってほめてくれたよね。
あれ、かなりうれしかった。
ちょっといたずらな風が吹いたら、私がそばにいると思ってください。
それからもうひとつ。
『犬との10の約束』は覚えてくれてる？
あれにはつづきがあります。
それは約束ではなくて、『虹の橋』という詩です。
ソックスが先に逝ってしまったあとに読んでみてね。

『虹の橋』
動物は、死んだあと虹の橋と呼ばれる場所で暮らします。
そこは快適で満ち足りているのですが、ひとつだけ足りないものがあります。
それは特別な誰か、残してきてしまった誰かがそこにはいないこと。
それがさびしいのです。
草原で遊び回っている動物たちのうち一匹が突然遊ぶのをやめ、遠くに目をやります。
一心に見つめるその瞳は輝き、からだはかすかに震《ふる》えはじめます。
その子は突然草原を飛ぶように走り出します。
あなたを見つけたのです。
あなたとあなたの特別な友だちは再会のよろこびに固く抱き合います。
そして、あなたを心の底から信じているその友だちの瞳を覗《のぞ》き込みます。
あなたの人生から長い間失われていたけれど、
心からは一日も離れたことのなかったその瞳を。

じゃあ、元気でね。

芙美子母より」

私は泣き方を覚えてから、すぐ泣くようになってしまった。

第6章

私は獣医学部を卒業し、二十六歳になった。今は新米獣医として東京の動物園に勤めている。星くんは音楽大学に合格し、去年の春、作曲科を卒業していた。私と星くんはごく自然に、じゃあ結婚しようかということになり、二人で東京に部屋を借りた。

いよいよ明日に結婚式を控《ひか》え、私は函館《はこだて》に戻った。ちょっと気恥ずかしかったけれど、こういうときはやはり父に挨拶《あいさつ》をするべきなのだろうと思って、父の書斎をノックした。

私が部屋に入ると、父は振り返り、真面目《まじめ》な顔をして、

「言っておくけど、新婦の父親の挨拶とか、そういうのは絶対にやらないからな」

とダダをこねた。

「もうそれは頼まないよ。あのね、ひとつだけいい?」

「ひとつだけと言われると、怖《こわ》いな。なんだ？」

「ずっと気になってたんだけど、おとうさん、私のせいで本当にやりたかったことができなかったんじゃない？」

と言いながら、涙もろくなってしまった私はすぐに涙声になる。

「私がさびしがったから、おとうさん、大学病院を辞《や》めたんでしょ？　あんな条件のいい大学で成功してたのに、私がおとうさんの人生を狭くしちゃって……ごめんね」

「あかり、おとうさんをそんなふうに人生の失敗者みたいに言わないでくれ」

と父はおどけて言った。

「でも、おまえも獣医だからわかると思うけど、大学で研究しているだけが医者じゃないよ。俺はね、あかりのそばにいられてうれしかったし、キャベツも刻めるようになったし、患者の話もゆっくり聞けるようになった。そのときはじめて、自分は人としてまともになれたな、と思ったよ」

「……ほんとに？」

父は真面目な顔でうなずいた。

「おとうさん。花嫁みたいなこと言っていい？」

「やめてくれ」

「本当に、ありがとう」

父は照れて、「もういいよ」とパソコンの方に椅子《いす》を回した。


結婚式で、ウェディングドレスの裾《すそ》を侑子《ゆうこ》と朋《とも》さんに持ってもらいながら、会場に向かっているときのことだ。会場からは星くんのおとうさんが弾《ひ》いているギターの旋《せん》律《りつ》が流れてきて、空には楕円《だえん》形の雲がひとつだけ浮かんでいた。桜の花びらが風に浮かぶように流れて、私の肩にのった。「お、風流だねー」と言いながら、侑子がそれを指でつまんで、飛ばすように上に放ったとき、教会の向こうにある高いポプラの樹々の葉むらがざわめいた。

その風は、草をなびかせ、テーブルクロスを揺《ゆ》らし、侑子の放った桜の花びらを遠くまで乗せていった。私のウェディングドレスの裾もその風にはためいて、私はふと、母が来てくれたのかなと思った。

「風？　照れるな」

と言っていた母を思い出しながら、私は桜の花びらを目で追った。それは風に乗り、教会の屋根の上まで舞い上がっていった。そして、その向こうの空に、虹がかかっているのが見えた。

仲良くしてください。

私には
あなたしか
いません。

私を信じてください。
それだけで私は幸せです。

私は
十年くらいしか
生きられません。

どうか
覚えていてください、
私がずっとあなたを
愛していたことを。

川口晴 Kawaguchi Hare

早稲田大学第一文学部卒。

映画プロデューサーとして『血と骨』『クイール』『子ぎつねヘレン』『花よりもなほ』『ゲゲゲの鬼太郎』、脚本家として『RAMPO』『風花』『椿山課長の七日間』など、ヒット作を次々と生み出す。

著書に小説『月の夜に洪水が』(幻冬舎)など。

撮影　松園多聞
装幀　大久保明子

犬《いぬ》と私《わたし》の10の約束《やくそく》

２００７年７月３０日　第１刷発行
２００７年９月１０日　第４刷発行

著　者　川口晴《かわぐちはれ》

発行者　木俣正剛

発行所　株式会社　文藝春秋
〒102-8008　東京都千代田区紀尾井町3-23
電話　03-3265-1211(代)

印刷所　図書印刷株式会社
製本所　大口製本印刷株式会社

定価はカバーに表示してあります。

©Hare Kawaguchi 2007　ISBN978-4-16-326170-6
万一、落丁・乱丁の場合は送料当方負担でお取替えいたします。

小社製作部宛にお送り下さい。定価はカバーに表示してあります。

Printed in Japan